学習支援のツボ

認知心理学者が教室で考えたこと

佐藤浩一 著

北大路書房

はじめに

　2013年9月19日，文部科学省で「平成25年度全国学力・学習状況調査の調査結果を踏まえた指導の改善・充実に向けた説明会」が開かれました。その名の通り，全国調査の結果を踏まえて，これからどういう学習指導に力を入れてほしいかを，学校現場に対して説明するという会合です。
　説明会では算数・数学と国語について，それぞれの担当者から詳しい解説がありました。けれど私は少し不満を感じました。それは，算数・数学と国語に共通の課題があるのではないかと感じたからです。具体的には，

> 文脈や知識を共有する，目の前の相手に向けた説明はできる。しかし，その場にいなかったり，文脈や知識を共有していない相手にまで伝わるような丁寧な説明を，きちんとした文章で表現することができない。

という課題です。もう少し理屈っぽく言うと，

- ▶コミュニケーションにおける相手意識が不十分である。
- ▶生活言語でのコミュニケーションはできるが，学習言語でのコミュニケーションに課題がある（学習言語で解答すべきところに，生活言語が混入している）。

とも言えます。
　「相手意識」とは，コミュニケーションの相手が何を知っているのか，何を知らないのか，どういう事柄に関心があるのか，といったことを考えた上で，表現を工夫するということです。
　「生活言語」とは日常生活で使う言語表現で，主として話し言葉です。これに対して「学習言語」とは，不特定多数の相手にも伝わる論理的で丁寧な言語表現で，主として書き言葉です。ただし日常生活の会話が学習言語で行われることもありますし，授業中の言語活動が必ずしも学習言語で行われるわけではありません。
　そこでこう質問しました。
　「国語と算数・数学の結果を総合的に分析し，課題を提示したり，授業アイ

はじめに

ディアを提案する計画はありますか？」

それに対する回答は，こういうものでした。

「国語と算数・数学は別々に問題をつくり，別々に分析しています。ご質問の件については，今後検討します。」

「今後検討します」というのは，こういう場面での典型的な回答で，「検討しましたが，いろいろと難しい面もあり…」となるのがオチです。「検討するかどうか検討した結果，検討しないことになりました」ということもあります。

私はビックリもし，ガッカリもしました。『学習指導要領解説 総則編』を開くと，小学校でも中学校でも，探究的な学習活動の充実を図ることで思考力・判断力・表現力等を育成すること，その学習の基盤は言語に関する能力であり，国語科のみならず，各教科等においてその育成を重視することが明記されています。それならもう少し，教科をまたいだ分析や提案があってもいいだろうと思いました。

文科省の内部は教科ごとに区分けされているかもしれません。しかし学習をしている児童生徒の頭の中は，それほどきれいに区分けされているわけではありません。もちろん，「国語が好きだけど算数は苦手」とか「自分は理系」など，教科による好みや出来不出来の違いはあるでしょう。しかし，例えば，

▶難しい言葉が出てくると，それだけで頭の中がイッパイになり，考える余裕がなくなる。
▶理解できない事柄は，覚えられない。無理に詰め込んでも，すぐ忘れてしまう。

といった脳の働きは，教科にかかわらず共通です。

さて，認知心理学です。認知とは，物事を考えたり，判断したり，覚えたり，認識したりすることです。ですから認知心理学とは一言で言うと，こうした頭の働き方や使い方について研究する，心理学の1つの領域です。この本は，認知心理学者である私が，認知心理学の知見を背景に，学習支援について語ったものです。

本書の執筆には，3つの契機があります。

私は平成20年から，群馬大学の教職大学院で学習指導領域の授業や研究指導を担当しています。その中で多くの授業を参観したり，先生方と一緒に指導案を検討してきました。そこで認知心理学者として「こうすればいいのでは？」と

はじめに

か,「これはマズイのでは?」と感じることがたくさんありました。

教職大学院では私のような研究者教員と,学校現場経験の豊富な実務家教員がペアで授業や指導に当たります。その成果をまとめた『学習の支援と教育評価－理論と実践の協同』を2013年4月に北大路書房から出版しました。この本についてはあちこちから評価していただいたのですが,同時に「価格が高い」「内容が堅い」,だから「現場の先生が手にとって読みにくい」というご批判もいただきました。私自身,確かにそうだと思います。

そんなとき,北尾倫彦先生(大阪教育大学名誉教授)が平成23年に出版された『「本物の学力」を伸ばす授業の創造』(図書文化)を読みました。その中で北尾先生は,学校現場の課題を解決するには理論知が不可欠であること,にもかかわらず現場からは,学者の唱える説は役に立たないという声がしばしば聞かれることを指摘しておられます。そして,学者が専門用語を多用して理論を詳しく説明しても現場には届かないと述べておられます。

そこで,小中学校の授業について,認知心理学者が考えた大切なポイント(ツボ)を,できるだけ学術用語などは使わずに,現場の先生方に話しかけるつもりで書いたのが本書です。いわば,前著を「きまじめで融通の利かない長男」とすると,本書は「やんちゃな次男」です。

現場の先生方にぜひ,どこからでも気楽に読んでいただければと思います。そしてその中の1つでも2つでも,授業に生かしていただければ幸いです。

「学習支援」という表現について,一言申し上げます。「学習支援」よりは「学習指導」という表現の方がポピュラーですし,何よりも,現場が依拠しているのは「学習指導要領」です。私も,理にかなった指導をどんどん行うべきだと思います。けれども,教える側がどんなに理にかなった指導をしても,言葉を尽くして筋道立てて説明しても,学ぶ側が納得したり,自分の知識にうまく組み込むことができなければ,学習につながりません。すると教師にできることは,せいぜい,児童生徒の頭の働きを支援することではないか,もっと極端な言い方をすると,学校も教師も,児童生徒が学ぶための1つのツール(道具)ではないか,という気がするのです。そこで前著同様,「支援」という表現を使いました。決して,「指導しない」ことを主張しているわけではありません。

私は群馬大学教職大学院で,石川克博先生と武井英昭先生というお二人の実務家教員と組んで,授業や指導に当たらせていただきました。お二人の先生方から

はじめに

実践を見る・考える視点を学ばせていただいたことを，改めて感謝申し上げます。小中学校で授業を参観させていただいた多くの先生方と児童生徒の皆さんにも御礼申し上げます。また前著『学習の支援と教育評価』と同様，本書の企画から刊行に至るまで，北大路書房編集部の薄木敏之さんにお世話になりました。ありがとうございます。

2014 年 5 月
佐藤　浩一

【本書の読み方】
どの章，どの項から読んでくださってもかまいません。
各項の末尾には「近くのツボ」として，関連する章や項を示しています。

目次

はじめに

第1章　頭の働きについて…考えた　1
  1－1　脳はすぐに，イッパイ，イッパイになる　2
  1－2　知識の大切さ　5
  1－3　知識はネットワークになっている　8
  1－4　脳は省エネ志向　11
  1－5　算数を考えている頭の働きをコマ送りしてみよう　14

第2章　頭の使い方について…考えた　19
  2－1　集中より分散　20
  2－2　生成効果と穴埋めシート　24
  2－3　さまざまな学習方法　27
  2－4　学習方法への意識を　30
  2－5　学習方略が身につくまで　34
  2－6　わからなければ，他者（ひと）に聞け　37
  2－7　やはり予習はした方がいい　41

第3章　メタ認知について…考えた　45
  3－1　自分で自分を見つめる眼　46
  3－2　メタ認知と読むこと　49
  3－3　メタ認知と書くこと，話すこと，伝えること　52
  3－4　作文を友だちに見てもらう　56
  3－5　まずは代行から　60
  3－6　代行から実力へ　64

第4章　動物に教わって…考えた　67
  4－1　繰り返しは王道か？　68
  4－2　やはり繰り返しは大切だ。けれども…　72
  4－3　何を合図に，どう行動するか　75
  4－4　これも弁別刺激　78
  4－5　イルカが教えてくれること　81
  4－6　褒めたり叱ったりは教えるチャンス　84

第5章　学習を生かすということについて…考えた　87
  5－1　次に生きる学習を－転移ということ　88
  5－2　転移につながる学習　91
  5－3　経験から教訓を引き出す　95

目 次

 5－4　思い出せるかな？　*99*
 5－5　教科書を生かす　*102*
 5－6　明日の授業につながる宿題　*105*

第6章　指示・発問・説明について…考えた　**109**
 6－1　教師の発問が思考を方向づける　*110*
 6－2　もっとハッキリ具体的に　*113*
 6－3　"つもり"を伝えていますか　*116*
 6－4　教師自身がライブで見本を　*119*
 6－5　比喩を使った説明　*123*
 6－6　三角形と四角形　*127*
 6－7　お魚にも…！　*130*

第7章　言語活動について…考えた　**133**
 7－1　目的（目標）と手段を間違えるな　*134*
 7－2　説明活動は，確かに効果がある　*138*
 7－3　「いいですか～？」で，いいですか？　*141*
 7－4　話型は入れ物。中身の保証は？　*145*
 7－5　話型から思考型へ　*148*
 7－6　思考スキルと思考ツール　*151*

第8章　グループ学習について…考えた　**155**
 8－1　1＋1＋1が3にならない　*156*
 8－2　まず安心感・信頼感　*160*
 8－3　全部の授業でラリー・ロビンを？！　*164*
 8－4　目標を実現するための細やかな配慮　*168*
 8－5　「楽しい話し合い活動」から「充実した学び」へ　*172*

第9章　道具について…考えた　**177**
 9－1　見えません，とは言いにくい　*178*
 9－2　ノートと黒板　*182*
 9－3　ワークシートは凝りすぎない　*186*
 9－4　百聞は一見にしかず？　*189*
 9－5　図表の見方には練習が不可欠　*192*
 9－6　道具に慣れるには時間がかかる　*195*
 9－7　ムカデに尋ねました　*198*

目 次

第 10 章　やる気について…考えた　201
　10－1　6つの動機づけ　202
　10－2　基本は安全，安心感　206
　10－3　学習性無力感と自律感　209
　10－4　ささやかだけれど，これも PBL　213
　10－5　計画力，段取り力をつける　218

第 11 章　テストや評価について…考えた　221
　11－1　テストが学び方を変える　222
　11－2　評価基準を子どもに開示する　225
　11－3　まず自分で解いてみる　229
　11－4　順位は（あまり）気にするな　232
　11－5　教室のピグマリオン　235

第 12 章　ツボについて…考えた　239
　12－1　万能薬はない　240
　12－2　1つの理論だけでは，うまくいかない　243
　12－3　清掃主任は学力向上に無縁か　246
　12－4　答は自分の中に　249

引用・参考文献　251

第1章
頭の働きについて…考えた

　私たちは日頃，自分の心臓の働きを意識することはありません。それは，意識して動かそうとしなくても，心臓が勝手に動いて，生命を維持してくれているからです。意識するのは，その働きに何か支障が生じたときです。

　同じことが頭（脳）についても言えます。大人がすらすら文章を読んだり，計算を解いたりしているときには，そのスピードが速すぎて，どんな動きをしているのかわかりません。苦手な問題を解いているときや，習ったばかりの計算に挑戦しているときに，頭の働き方の特徴が見えてきます。

　「はじめに」でも述べましたが，頭の働き方は教科をまたいで共通です。その特徴を捉えることで，どの教科にも効き目のある学習支援のツボがつかめます。頭の働きにどんな特徴があるのか，考えました。

1-1 脳はすぐに，イッパイ，イッパイになる

　年齢のせい…と言うと言い訳じみているのですが，このごろ私は用事を満足にこなせなくなってきました。「原稿を修正して」「事務にあのことを連絡して」「○○先生にこのことを伝えて」，と3つの用事を思いついても，1つ2つは必ず忘れてしまいます。

■ 処理資源という発想

　こういう状況を理解するのに，認知心理学では「処理資源」という概念を使います。人の脳には情報を処理するためのエネルギーのようなもの（＝処理資源）が蓄えられていると考えるのです。そして一定量の資源を，複数の用事に配分しながら，日常生活を送っているわけです。年をとると，この資源自体が減ったり，配分が下手になります。すると，3つの用事のうち2つまでしか資源が配分されず3つ目の用事を忘れたり，3つすべてに少しずつしか資源が配分されず，どれも中途半端なままに終わったりするわけです。

■ 慣れてくると少ない処理資源で対応できる

　このことは子どもの学習にもそのまま当てはまります。話を単純にするために，一人の児童の処理資源を図のようなタンクで表してみましょう。

　この児童は計算が苦手で，九九がまだ十分に習得できていません。文章題や，ちょっと複雑な計算問題が出されても，まずは一生懸命，九九を思い出すことに処理資源を使います。するとこの児童の資源はそのことでほとんど使い果たされてしまい，問題文を正しく読んだり，うまい計算を工夫したり，あるいは計算結果を確かめたりといったことに回せる資源はほとんど残っていません。これが図の左の状態です。

　この児童が計算に習熟して，九九の答えぐらいならパッと自動

的に出せるようになると、初めて、処理資源を他の活動に回す余裕が生まれてきます。これが図の右の状態です。こうした点からも、基礎的な技能は確実に習得し、少ない資源で取り組めるようにしたいものです。

■ さまざまな授業場面と処理資源

処理資源という発想は、こんなふうに、授業のさまざまな場面を理解するのに役立ちます。

算数ではよく数直線や線分図などの図を使って、考えたり説明したりという活動が行われます。自分で図を描いて考えるということもあります。ところが不慣れな児童だと、図を描くこと自体が難しく、そこに多くの資源を要してしまいます。算数教育に詳しい糸井尚子さんは、こんなときにはまず、図に書かなくても解けるほど簡単な問題から始めることを勧めています。問題が簡単なら、図を描くことに資源をたくさん使っても、答えは出せます。簡単な問題で図を描くことに慣れるうちに、少しの処理資源で図を描くことができるようになります。そうなると、図を使って考える余裕が生まれます。図が問題を考えるための便利な道具になるわけです。

国語の読解はどうでしょう。漢字の読みがおぼつかなければ、教科書を読むだけで資源を使い果たしてしまいます。そこからさらに、その内容について考えるのは、容易じゃありません。似たようなことは大人の英会話にも当てはまります。苦手な英語で何か説明しようとすると、とにかく知っている単語を思い出してつなげるだけで、資源を使い果たしてしまいます。それが文法的に正しいかとか、相手に適した表現か、などと考える余裕はありません。

■ ノートをとるのにも処理資源が必要

授業中にノートをとるのにも、資源が必要です。日頃からノートをとることに慣れていないと、板書を書き写すことで資源を使い果たしてしまいます。小中学校ではそれでもよいかもしれません。しかし高校や大学では、板書を書き写すだけでなく、話を聞きながらノートをとる、ノートをとりながら大事なところに下線を引く、ノートをとりながら考えたり自分の理解度をチェックする、といったことが必要になります。こうした+αの頭の使い方ができるようになるためにも、板書を写したり、先生の説明を書き取るといったスキルは、あまり多くの資

第1章 頭の働きについて…考えた

源を使わずにできるよう，習熟しておくことが大切です。

東京都立稔ヶ丘高等学校では1年生を対象に，学習方法を学ぶ授業「コーピング・メソッド・タイム」を実施しています。そこでもノートのとり方は，まず最初に取り上げられる重要なスキルです。ある生徒は「早く写すことで，話を聞く余裕もできた」と言っています。これは早く写すことで，話を聞くのに使える資源が残っているという状態です。

先生の側にも配慮が求められます。ノートをとることに多くの資源を配分している子どもに対して，「書き写しながら聞いてね～」と指示を出しても，話に耳を傾ける資源はほとんど残っていないわけです。先生からすると「指示したのに聞いていない」，児童からすると「なんか言っていたけれど，書き写すのに一生懸命で中身はわからなかった」ということになってしまいます。書き終えるまで待ってから，指示を出してください。

慣れない思考や活動には，大人が想像する以上の処理資源が使われる。子どもの頭がそれだけでイッパイになっていることに配慮しよう。また，基礎的な学習技能は十分に習熟させよう。すると，より高次の思考や活動に処理資源を向けられるようになる。

近くのツボ

便利な道具でも，慣れないうちは多くの資源を使ってしまいます。このことは9－6で改めて取り上げます。9－2では，思考を深める道具としてのノートの使い方について考えています。

1-2 知識の大切さ

1990年代の教育改革では「生きる力」が強調され，「意欲や関心」と「知識」が対立的に捉えられました。私が学んできた認知心理学では，人間が生きていく上での知識の働きを重視し，知識獲得の過程や知識の働きを研究することを大きな柱としています。ですから「知識の詰め込みは良くない」だの「知識より意欲・関心」などというかけ声を耳にするたびに，（それは，ちょっと違うんだけどなあ…）とつぶやいていました。

日頃私たちは，自分の心臓や脳の働きを気にしていません。だからといって心臓や脳が働いていない，ということではありません。私たちが意識しないところで，ものすごく複雑な働きを，しかも一瞬たりとも休むことなく続けていてくれるのです。「知識」にも同じことが言えます。

■ トップダウン処理とボトムアップ処理

私たちが何かを認識したり判断を下したりするときには，脳の中で2方向の情報処理が行われています。1つは物事を詳細に丁寧に分析する方法で，これをボトムアップ処理と言います。もう1つは自分の知識や経験などから判断を下す方法で，トップダウン処理と言います。知識はトップダウン的に効率よく情報を処理するのに不可欠なのです。いくつか例を挙げましょう。

例えば，手書きの汚い文字が読めるのも，「ほら，あれが，あれして」といった情報に乏しい発言が理解できるのも，全部，トップダウン処理のおかげです。欠けている部分を知識や経験で補って，認識しているわけです。これが外国語では，そうはいきません。外国語の知識が乏しいために，きちんと理解しようとすると，丁寧なボトムアッ

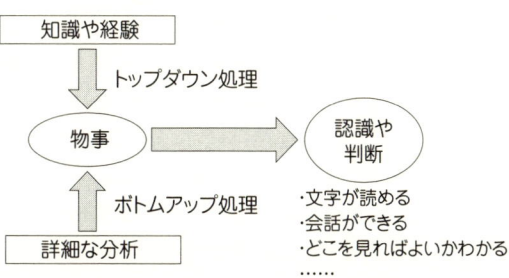

第1章 頭の働きについて…考えた

プ処理に頼らなければならないからです。それだけ手間暇がかかります。

　大学生を学校現場に連れて行き、授業を参観させると、「どこをどう見ていいかわからない…」といった感想が返ってくることがあります。授業のあとに研究会を行うと、大学生と若手の先生、ベテランの先生で、同じ授業を見ていてもまったく見方が違っていることに気づきます。経験を積むことで、授業を見る目が養われ、見え方が変わってきます。これもトップダウン処理があるからこそです。

■ 知識があるから発見できる

　理科教育が専門の森田和良さんは、知識の大切さをこんなふうに表現しています。

> 　世界の多くの科学者は、初めてであった現象からすぐにきまりを発見できたのだろうか。（中略）これまでの研究者の多くが、それまでの研究成果を元に新たな発見を生み出していることは否定できない事実である。したがって、知識や体験の少ない子どもたちが、初めて出会った現象から法則性を発見できるとは思えない。にもかかわらず、なぜ教師は、授業前に教科書を取り上げたり、予習することを否定したりして、学習以前に学習に関する情報を準備することに拒否反応を起こすのだろうか。（中略）発見は、まったく情報のない中からは生じないのである。
> 　　　　　　　　　　　　　　　　　　　　　　　　　（森田, 2004, p.26-27）

> 　河原に行ってたくさんの石の中から貴重な化石を発見できるのは、化石についての知識や化石そのものの価値について知識がある人間だけだろう。化石の知識を持たない人間は、偶然に化石を手にしたとしても、その価値を理解できない。深く感じ追求するには知識の働きが不可欠なのである。
> 　　　　　　　　　　　　　　　　　　　　　　　　　（森田, 2006, p.31）

　私自身もこんな場面を目にしました。小学校4年生の理科の授業「水の3つのすがた」。ビーカーに入れた水を日なたに数時間置いておき、水がどうなるかを調べます。1つのビーカーはそのままですが、もう1つのビーカーにはラップでふたをしています。ふたをしていないビーカーの水は減りますが、ふたをしたビーカーの水は減りません。そしてふたの裏には写真のように、水滴がびっしり付いています。

　理科の授業は4校時で、子どもたちはその

6

1-2　知識の大切さ

あと給食の準備に取りかかりました。今日のおかずはカレーです。鍋のふたを開けた児童が、ふたの裏の水滴を目にして大声を上げました。「先生！ これだね‼」。昨日までだって何度も目にしていたことでしょう。しかし4校時の授業で得た知識があったからこそ、そこに発見が生まれたのです。

ツボ

知識を軽視しては学習は成立しない。知識のないところに意欲も関心も生まれない。教師は子どもに必要な知識を教えることをためらってはいけない。（もちろん、教師が教えればそれだけで知識が定着するとは限らない。そこはまた別のツボで。）

近くのツボ

教育心理学者の市川伸一さんは、積極的に予習をさせたり教師が教えたりして、その上で児童生徒に考えさせることが知識の習得に有効だとして、「教えて考えさせる授業」を提唱しています。本書でも2−7で触れています。

1-3 知識はネットワークになっている

　認知心理学者はよく「知識のネットワーク」という言い方をします。知識というものを，情報同士が結びついたネットワークになっていると捉えています。喩えるならば，脳内に蜘蛛の巣のように情報のネットワークが張り巡らされているのです。蜘蛛の巣のどこかに餌が引っかかると，その振動は周囲に広がっていきます。これと同じように，脳に情報が入ってくるとその影響は周囲に伝わっていきます。

ネットワークの働きを実験で捉える

　このことを示す実験を紹介しましょう。下の図をご覧ください。
　コンピュータ・ディスプレイ上に，「ベッド」「パン」「バター」といった単語が次々現れます。中には「ニンコ」「リツモ」のように，単語ではない文字列も混ざっています。実験に参加した人はこれらを見ながら，単語かどうかの判断を下していきます。そして，その判断の速さが測定されます。
　この実験では，2つの条件を設けて比較します。1つは「パン」の次に「バター」のように，関連のある言葉が続けて出される条件です。もう1つは，「ベッド」の次に「バター」のように，2つの言葉が関連しない条件です。すると，同じ「バター」という言葉が出されているにもかかわらず，関連あり条件の方が，「バターは単語だ」という判断が速く行われるのです。
　この結果は知識のネットワークを考えると説明がつきます。関連あり条件で最初に「パン」という単語が出されると，脳内の「パン」という知識が目を覚まします（これを「活性化する」などと表現します）。それだけでなく，ネットワー

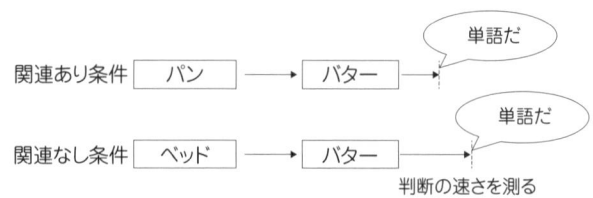

8

クを伝わって，パンと関連する他の言葉（バター，ジャム，紅茶，など）にも，活性化がビビビッと伝わっていくのです。その時点で「バター」も脳内で半ば目を覚ました状態になります。だから「パン」

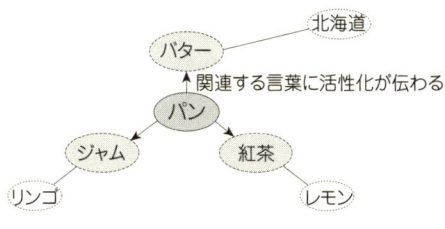

に続けて「バター」が出てくると，それに対する判断がすばやくできるのです。

学習はネットワークを変化させる

　学ぶということは，ネットワーク上でつながりが太くなったり，新たなつながりができたりすることだと言えます。子どもの学習を，こうした知識ネットワークの変化という観点で捉えることができます。小学1年生が魚屋で半身に下ろされたブリを見て，「お魚にも血が流れてるんだ！」と驚いたという新聞記事を読んだことがあります。この児童の頭の中を考えてみましょう。おそらく最初は「人間には血が流れている。ウサギにも血が流れているんだろう。でも魚や虫には血が流れていない」などと考えていたのではないでしょうか。それが実際に魚の中の血を見ることで，知識のネットワーク構造に変化が起こったと言えます。

　よりよく学ぶということは，たくさんの知識の間に，豊かで複雑なネットワークが張り巡らされるということです。その反対が「断片的な知識」と言われる状態です。知識と知識の間につながりがなく，個別の知識が「陸の孤島」になっている状態です。

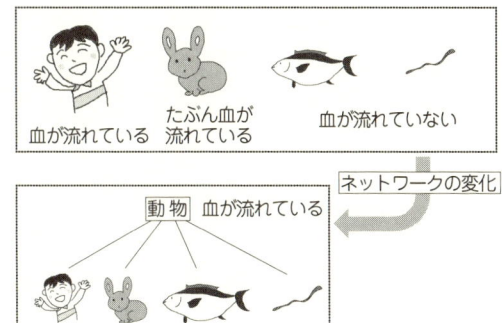

豊かなネットワークをつくるには

　では，子どもたちの頭の中に豊かな知識のネットワークを作るには，どうすればよいでしょうか。それにはやはり，「つなげる」ことを意識した授業作りが大切でしょう。

第1章 頭の働きについて…考えた

　第一に，新しいことを学習する際に，子どもの知識ネットワークに引っ掛かりやすいように，教師が説明するということです。例えば日常生活の経験とつなげて説明したり，子どもの知っているものに喩えたり，既習事項と対比させながら説明するといった工夫です。

　第二に，断片的な情報を覚えるという学習方法ではなく，情報同士のつながりを考える，という学習方法を重視することです。社会科の歴史であれば，1つの事件や出来事の背景に何があったか，その事件がどういう結果を引き起こしたか，そういうつながり（ストーリー）を考えると，自然に記憶に残りやすくなります。大河ドラマを「覚える」つもりで見る人はいませんね。でも記憶に残っています。

　第三に，先生がこうした工夫をしても，結局のところ「つなげる」のは子ども自身だということです。同じ内容でも，他人から一方的に教えられるより，自分で考えてつながりに気づく方が，学習効果があがるのです。

ツボ

> 知識の知識たるゆえんは，情報が互いに結びついてネットワークを構成している点にある。学ぶということは，このネットワークを豊かにすることだ。そのためには，教師自身が内容のつながりをわかった上で，子ども自身が自分でつなげたり，新たなつながりに気づくような授業が求められる。

近くのツボ

> 自分で考えることの大切さは2－2で取り上げます。また，「つなげる」ことの大切さは，第5章全体で「転移」ということを考えるときに，改めて強調します。子どもが「つなげる」ことを重視して勉強するかどうかは，テストの方法にも左右されます。このことは11－1で研究を紹介します。魚に驚いた児童のことは，6－7で別の角度から取り上げます。

1-4 脳は省エネ志向

　1-3では知識やトップダウン処理の大切さを力説しました。しかし実は，トップダウン処理に頼りすぎると，困ったことが起こります。

　人間の脳は省エネ志向が強い，というのが私の持論です。なにせ1-1で取り上げたとおり，「脳はすぐに，イッパイ，イッパイになる」のです。できれば楽をしたいわけです。楽をするときには，対象となる物事や相手のことを丁寧に見たり判断するのではなく，「ああ，あのことね」「ああ，あの人ね」と，おきまりのパタンに当てはめて判断します。

　例えば，目の前の相手がどんな人柄か知るには，少しばかり時間とエネルギーをかけて，おつきあいしなければなりません。それが面倒なときに，えてして，「あの人，関西人？ じゃあ，きっとにぎやかね」とか，「へえ，A型なんだ。まじめなんだ」といった考え方をするわけです。こうした発想は「ステレオタイプ」と呼ばれます。自分の知識や先入観（関西人はにぎやかだ，A型はまじめだ）をもとに他人を判断する，一種のトップダウン処理です。ボトムアップは手間がかかるので，トップダウンで楽をするわけです。

■ 学習場面で見られるトップダウン処理の弊害

　トップダウン処理の弊害は，学習場面でも現れます。次にあげるのは，平成21年度の全国学力・学習状況調査で中学生に出された国語A問題です。

> **問題**　「秋暮れて今年もさむし午后はやく日かげる庭の白菊の光り」
> 　この短歌について，言葉のつながりや意味のまとまりから切れめを付けるとしたらどこになりますか。
> 　①秋暮れて／今年もさむし午后はやく日かげる庭の白菊の光り
> 　②秋暮れて今年もさむし／午后はやく日かげる庭の白菊の光り
> 　③秋暮れて今年もさむし午后はやく／日かげる庭の白菊の光り
> 　④秋暮れて今年もさむし午后はやく日かげる庭の／白菊の光り

　正解は②。しかしこの問題の正答率は，わずか29.2%。54%の生徒は③を選ん

でいました。これはおそらく「短歌は五七五・七七」という知識がトップダウン処理を引き起こし、五七五で切れている③が選ばれたのでしょう。意味を考えて丁寧に読むというボトムアップ処理をすれば、決して難しい短歌ではありません。

■ 省エネ志向の脳を叱咤激励するには

国語では「叙述に即した読解」ということが強調されます。これは大まかな理解あるいは予備知識や先入観に基づくトップダウン処理ではなく、文章そのものに記されていることを手がかりに、丁寧に読み解いていくことに他なりません。こうした読み方をするには、ともすれば楽をしたがる脳を、叱咤激励して働かせるような工夫が求められます。

そのためには、どんな方法があるでしょう。1つは教師が「本文に書かれていることを根拠にしながら考えて説明しなさい」と、繰り返し注意を促すことです。けれどこれは、生徒からすると、いささか鬱陶しい。

中3国語の定番教材に魯迅の『故郷』があります。教科書に採録されている作品としては長いですし、中国の制度や風習を背景にしており、一読しただけでは難しい文章です。

K先生の授業では、本文を一通り読んだ上で、主要な登場人物の関係図をグループで作るという課題を設定しました。主人公は「私」と「ルントウ」の二人です。私の父は地主で、ルントウの父はその雇人でした。人物名が書かれたカードを受け取った生徒たちは、それらを並べ始めましたが、父というカードが2枚あることに戸惑う様子が見られました。「なんで、父親が二人？」…そのうち生徒たちは、教科書を開いて本文を確かめ始めました。

このようにK先生の授業では、本文の叙述に戻らざるを得ない課題が設定さ

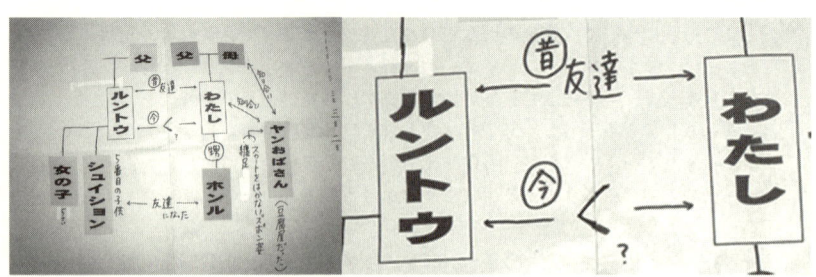

れていました。生徒にとってはとてもおもしろい課題だったことが，活動中の様子からうかがわれました。生徒の作った関係図も適切で，そこには私とルントウの過去の関係，今の関係がハッキリと現れていました。叙述に即して読むことで，読みを深めることにつながったのです。

> スラスラ解けたりすぐに判断を下せたときには，トップダウン処理に頼りすぎていないか注意しよう。あえて手間暇かかる課題を教師が工夫することで，読み飛ばしを防いで，丁寧な読みや判断が可能になる。

近くのツボ

> 叙述に即して丁寧に読み解くことについては，3－2でも取り上げます。また教師の指示や発問が省エネ志向の脳を活性化させて思考を方向づけることは，6－1で強調しています。

1-5 算数を考えている頭の働きをコマ送りしてみよう

　教科の中でも算数については，心理学の研究が比較的たくさん行われています。算数では「計算はできるけれど文章題が苦手だ」という悩みをよく聞きます。文章題を解いているときの頭の働きをもとに，支援方法を考えてみましょう。

■ 文章題を解くには4つのステップが必要

　先生方は文章題をすらすら解けます。すらすら解けるだけに，そのとき自分の頭がどう働いているのか，間違えるときにはどういう落とし穴に落ちているのか，ということがわかりにくいのです。心理学では，算数の文章題を解くときに4つのステップを踏んでいると考えています。それらは「変換」「統合」「計画」「実行」の4ステップです。

　次の問題で説明しましょう。

問題　バター1個の値段を調べたら，Aスーパーでは250円でした。これはBスーパーよりも20円安い値段でした。Bスーパーでバターを4個買うと，代金は全部でいくらになりますか。

　「変換」とは，文章題の中の1つ1つの言葉，あるいは1つ1つの文を理解する過程です。上の問題では「Aスーパーのバターは250円だ」とか，「Bスーパーでバター4個を買う」など，問題に書かれていることが正しく理解できることを指します。

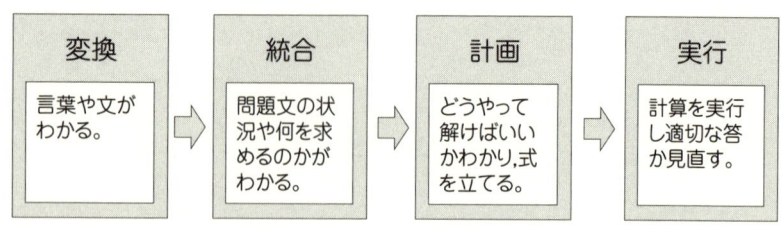

「統合」とは，問題文全体がどういう状況なのか，何が問われているのかがわかるということです。問題には明記されていませんが「BスーパーはAスーパーより20円高い」とわかったり，その上で「Bでバター4個を買うときの値段を問われているんだ」と把握できることを指します。

「計画」とは，「統合」に基づいて，問題解決の計画を立てることです。「まずBスーパーでのバター1個の値段を求める。それを4倍する」という計画が立てられればいいわけです。

そして最後に計算が「実行」されます。

変換での支援

では4つのステップに即して支援の仕方を考えてみましょう。

「変換」では，そもそも問題をきちんと読んでいないことがあります。ではどうすれば，きちんと読むでしょうか。「読みましょう」ではなく，きちんと読むための課題や指示を工夫することです。例えば，

▶ 問題文をノートに書き写す。
▶ 隣の児童とどんな問題だったか言い合う（それだけでも結構，自分の理解が曖昧なことに気づきます）。
▶ 問題文を図に描く。

といった課題が考えられます。

なかには日本語として悪文と思われる問題もあります。例えば，

　6.3mの重さが7.56kgの鉄のぼうがあります。この鉄のぼう1mの重さは何kgですか？
（東京書籍『新しい算数5上』，p.48）

といった問題文です。これはもちろん，

　長さが6.3mで，重さが7.56kgの鉄のぼうがあります。この鉄のぼう1mの重さは何kgですか？

の意味です。しかし私は「6.3mの重さが」と読んで，一瞬，頭の中が交通渋滞を起こした錯覚にとらわれました。児童の頭の中でも渋滞が起こります。わかりやすい表現に言い直したり，図に描いて確認することが必要でしょう。

第1章　頭の働きについて…考えた

統合での支援

　「統合」のつまずきには，1つ1つの言葉の意味や文の意味はわかるけれども，何が問われているかわからないというケースや，誤った統合をしてしまった（例えば「安い」とあるから「引き算の問題だ」と考えてしまった）ケースがあります。どちらの場合も，

- ▶問題文を図に描く。
- ▶問題文を言い直す。
- ▶「わかっていること」や「求めること」を文中から抜き出す。
- ▶その上で，自分で，あるいは友だち同士で，問題文の状況を説明する（説明し合う）。

といった活動が有効です。

　「言い直す」というのは例えば，「AとBの2つのスーパーがあって」「2つをくらべて」「バターがAだと250円で」「Bの値段はわからなくて」「AはBより安いから」「BはAより高くて」といったことをつぶやいたり，ノートに書くわけです。これは「変換」段階で，個々の単語や文の意味がわかっているか確認するのにも有効です。

計画と実行での支援

　そして計算の「計画」と「実行」。先にあげた例題ですと，$(250 + 20) \times 4$という式が立ちます。しかし，1つの式でスマートに立式できなくてもかまいません。統合での考え方を踏まえて，

　　　AはBより20円安い。
　　　ということは，BはAより20円高い。
　　　だからBのバターは $250 + 20 = 270$ 円
　　　それを4つ買うから $270 \times 4 = 1080$

と1ステップずつ立式，計算してもいいはずです。その方が，間違えた場合にも，どこで間違えたかわかりやすくなります。また見直すときにも，見直しやすいでしょう。テスト用紙やノートやワークシートにも，こうした立式と計算が書き込める余白が欲しいと思います。

　答えが出たら見直す，ということもぜひ習慣化してほしいことです。このとき子どもは，同じ計算を繰り返して同じ答になればOK，と判断することがありま

す。それでもやらないよりはましですが,
　▶問題文に戻ってもう一度考えを確かめる。
　▶小数になったらおかしい問題で（例えば「何円ですか」），小数の答えが出たらダメ。
など，見直しの視点を教えてあげてください。

■ どのステップでのつまずきかによって，有効な支援が異なる

　さて，こういう4つのステップを踏んでいるということは，同時に，どのステップでもつまずく危険性がある，ということです。さらに，どのステップでつまずいているか把握しなければ，適切な支援はできない，ということです。
　例えばこの問題を次のように解いた児童がいたとします。

　　250 − 20 = 230
　　230 × 4 = 920
　　答：920 円

　この児童は，問題文中の「安い」という言葉に着目して，「安いから引き算の問題だ」という誤った統合をして，計画を立てました。それなのに誤答だけを見て「実行」でのつまずきと捉えて，「計算が合っているか見直しなさい」とアドバイスしても，あまり効果はないでしょう。まして100マス計算のような反復練習だけで，こうした誤りに対処できるものではありません。

■ 算数に独特の外国語

　また算数ではしばしば，子どもにとっては「外国語」のような表現が使われます。「もとになる数・比べる数」「割る数・割られる数」などです。こうした用語が出てくると，それだけで子どもの脳はすぐに，イッパイ，イッパイになります。そして適切な統合や計画が妨げられてしまいます。外国語に頼らない説明を，工夫できないものでしょうか？

第 1 章　頭の働きについて…考えた

簡単な問題であっても，頭の中では変換，統合，計画，実行という 4 つのステップを踏んで解いている。それぞれのステップに適した支援の方法を考えることが大切だ。また子どもの間違いがどのステップで起こったのかを見極めて手を打たなければ，効果は小さい。

近くのツボ

「変換」を確実に行うための「つぶやき」に効果があることは，7－2 で「自己説明」として改めて取り上げます。また文章題を正しく読むことについては，3－2 でも取り上げます。問題文中の特定の言葉にだけ着目して解いてしまう傾向については，4－4 でも取り上げます。

第2章
頭の使い方について…考えた

　英会話の上達は,「投資した金額」×「かけた時間」で決まるという話を聞いたことがあります。金額は「動機づけ（やる気）」に対応し,時間は「勉強量」に対応します。やる気を持って,長時間取り組めば,成果は上がるというわけです。

　けれど私としては,ここにもう1つ大切なものをかけたい。それは「勉強方法」です。つまり学習の成果は,「やる気」×「勉強量」×「勉強方法」。私自身も要領の悪い子どもでした。中2の期末テストの直前,苦手な社会科をどうやったらいいかわからず,とりあえず教科書を繰り返し読んだことがあります。中身を考えるでもなく,自分で問題を解いてみるでもなく,本当に,ただ読むだけでした。結果は悲惨なものでした。

　同じ時間をかけるなら,頭のうまい使い方を,子どもにも先生にも意識してほしいと思うのです。どんな使い方がうまいか,考えました。

2-1 集中より分散

中学校の定期テスト前の勉強を思い出してみてください。多くの人がテスト前の1～2日に何とか詰め込んで勉強したのではないでしょうか。結果はどうでしたか？

集中学習と分散学習

心理学では，短期間に集中的に勉強する方法を「集中学習」と呼び，時間をあけて少しずつ勉強する方法を「分散学習」と呼んでいます。例えば試験範囲の英単語を覚えるのに，テスト前日に2時間かけて覚えるのが「集中学習」，これに対して，一日1時間ずつ2日に分けて覚えたり，30分ずつ4日に分けて覚えるのが「分散学習」です。時間ではなく学習量で考えることもできます。試験範囲の英単語20語を前日に覚えるのが集中学習，5語ずつ4日間に分けて覚えるのが分散学習です。言い方を変えると，「短期決戦集中型」と「コツコツ分散型」と言ってもよいかもしれません。

	1日目	2日目	3日目	4日目
分散学習	30分 5語	30分 5語	30分 5語	30分 5語
集中学習				2時間 20語

実は心理学ではすでに19世紀の終わり頃から，集中学習と分散学習ではどちらが学習効果が上がるかという研究が行われてきました。そしてはっきりと，「分散学習の方がよい」という結論が得られているのです。「勉強時間が1時間必要だから，それだけの時間が確保されないと勉強しない」と考える人もいます。そして結局，いつまでたってもその1時間が確保されず，勉強しないままになってしまいます。けれども分散学習ということを考えれば，まとめて1時間勉強できなくとも，いろいろな隙間を使って少しずつ勉強する方が効果的です。

■ 集中学習，2つの副作用

ではなぜ集中学習はまずいのでしょうか。2つの意味で，困ったことが起こります。

1つは，人間の集中力はそう長くは続かないということです。机の前に2時間座っているように見えても，頭が働いているのはそのうち1時間だけ，ということもあるでしょう。そうすると2時間のうちの1時間はロスタイムということになってしまいます。結局，少しずつ時間を空けて勉強する方が，かけた時間だけ集中した勉強ができるのです。

もう1つは，一日にたくさんの内容を詰め込もうとすると，それらが整理されないままになり，頭の中が混乱してしまうということです。「あれ，なんだったっけ？　あれは…違う！　あれじゃなくて，こっちだ！」こんな状態でテストを受けるのは，まるで，散らかり放題の部屋の中から一枚のメモを探し出すようなものです。

■ 集中学習の副作用を参考に勉強方法を工夫する

こう考えると，日頃どんなことに気をつけて勉強すればいいのか，ヒントが見えてきます。集中学習の困ったことに対応させて考えてみましょう。

第一に，集中力が途切れそうになったら，いったん止めるということです。ところで冒頭に分散学習の例として，「30分ずつ4日に分けて」と書きました。これは決して，一日に30分しか勉強しないというのではありません。例えば2時間勉強するとしたら，2時間をすべて英語にあてるのではなく30分ずつ別々の教科にあてるとか，同じ英語でも英単語と英作文という具合に内容を変えるとかすればよいのです。もちろん，休憩して体を動かすのもOKです。ポイントは，集中力が途切れそうになったら切り替える，ということです。

第二に，頭の中が散らかり放題にならない学習を心がけるということです。いわゆる丸暗記は，学習した内容の意味を考えません。これでは覚えたことの内容や関係が見えません。その結果，たくさんの事柄が整理されずに詰め込まれた状態になってしまいます。そうではなく，「あれとこれはどういう関係だろうか」とか，「あれとこれはどう違うのだろうか」などと考えながら学習すると，それによって理解も進みますし，頭の中も整理されます。

■ 分散学習の発想を授業に生かす

　分散学習は授業の仕方についてもヒントを与えてくれます。

　もちろん，45分や50分の間，児童生徒が集中できるような授業を展開できれば，すばらしいことです。しかし授業の途中で，教室の中がなんとなくドンヨリとよどんだり，児童の姿勢が崩れたりすることもあるでしょう。そんなときは思い切って授業をいったん止めるのも1つの方法です。ちょっと姿勢を変えてみる，立って深呼吸する，というくらいでも，注意力は回復します。先生自身は45分間集中力が持続していますから，子どもの集中力が途切れかけていることに気づかない，あるいは気づいても，つい授業を続けてしまうことが多いようです。私自身，大学の授業を90分間続けることはありません。必ず途中に1～2回，深呼吸を入れています（学生だけでなく，私自身の注意力も回復します）。

　また，中学校では定期試験の前に慌てて試験範囲の授業をこなして，あとは「しっかり勉強しておくように！」と，生徒の努力に任せることをしていないでしょうか。これではやはり，たくさんの内容が整理されないまま詰め込まれることになってしまいます。内容が理解され整理されつつ頭に収まるような授業を，計画的に実施してほしいと思います。

■ どうしてテスト前に集中して勉強しようとするのだろうか

　さて，分散学習が集中学習より効果があることは明らかです。しかしそれでも多くの人が集中学習でテストに対応しようとするのは，どうしてでしょう。

　脳科学者の池谷裕二さんによると，集中学習も分散学習も，学習直後のテスト成績は変わらないそうです。ですから，集中型でも何とか翌日のテストはしのぐことができます。そこで集中学習で対応するわけです。けれども池谷さんによると，少し時間を空けて抜き打ちテストをすると，分散学習の方が成績が良いとのことです。ですからやはり，集中学習は「その場しのぎ」で終わる危険性が高いのです。

　もう1つは，前日に1日2時間勉強する方が，4日に分けて30分ずつ勉強するより，短い日数で済むからです。分散学習をしようとすると，4日間の計画を立てなければなりません。こうなると成績は勉強の問題だけでなく，4日間かけて準備をするという計画性や時間管理（タイムマネジメント）の問題だとも言えます。中学生くらいになったら，時間の使い方や計画の立て方を見直してみることをお薦めします。

2-1 集中より分散

ツボ

一生懸命にたくさんの内容を一度に詰め込もうとするのは，あまりうまい学習方法ではない。毎日少しずつコツコツ勉強すること，内容を理解し整理しながら脳内に収めることが大切だ。それができるためには，学力とは別に，計画性も必要になる。

近くのツボ

頭の中が整理されるということは，1-3で強調した知識のネットワークができるということです。計画性については10-5で重点的に取り上げます。

2-2 生成効果と穴埋めシート

　同じ事柄でも，人から教わるよりも自分で考えたり思いついたときの方が，記憶によく残っているという経験はないでしょうか。このことは心理学では「生成効果」と呼ばれています。

　ある先生は子どもの頃，「しめすへん」と「ころもへん」の違いがハッキリせず，漢字をよく間違えていました。そこで辞書をひいて「しめすへん」の漢字を調べてみると，「福」「礼」「社」「祝」「神」…と，神様や祭礼に関係する字が多いことに気づきました。それ以来，「しめすへん」と「ころもへん」を混同することがなくなったそうです。

■ 自分で考えることの効果は実証済み

　生成効果を証明した研究を紹介しましょう。この研究では，参加者を2つのグループに分けました。そして第一のグループには，

　　　fast　－ s ＿＿＿
　　　young － o ＿＿＿

のように，単語と，別の単語の頭文字だけが見せられました。そして前の単語と反対の意味の単語で，その頭文字から始まるものを書き込むように求められました。参加者は

　　　fast　－ s *low*
　　　young － o *ld*

のように，反対語を自分で考えて書いていきました。
　第二のグループでは，最初から，

　　　fast　－ slow
　　　young － old

のように，単語と反対語が対になって見せられました。

　この研究のポイントは，どちらのグループの参加者も，結局同じ単語を目にするということです。しかし2つのグループには決定的な違いがあります。第一のグループは反対語を自分で考えて書き込んでいるということです。

　こうして何十もの単語について手続きを繰り返し，最後に，これまで出てきた単語（fast, young など）をどれだけ覚えているか，テストされました。すると第一のグループの方が優れた記憶成績を示したのです。

　もう1つ別の研究を紹介しましょう。今度の研究では，例えば「歯の抜けた男性が小切手にサインをした」といった文が見せられます。それに対して，第一のグループの参加者は，どうしてそういうことをしたのか，自分で考えました。第二のグループの参加者には，どうしてそういうことをしたのかという説明が，実験者から示されました。例えば，

　　歯の抜けた男性が小切手にサインをした。
　　新しい入れ歯の代金を支払うために。

といった具合です。こうした手続きを繰り返し，最後に，誰が何をしたのか覚えているかテストされました。結果はやはり，自分で理由を考えた第一のグループの方が優れた成績だったのです。

　この生成効果はさまざまな授業実践に生かせますし，また実践の理論的なバックボーンにもなります。自分でノートを整理し直したり，自分の言葉で説明し直したりするという勉強方法は，まさに生成効果につながるわけです。

■ 形だけまねても効果は薄い

　けれどもこの効果が生まれるのは，学習者が自分で頭をひねって考えるからです。そうでなければ，形だけをまねても，効果は薄くなるでしょう。小学校の教科書を開いてみましょう。ところどころに，穴埋め式の確認問題が掲載されています。例えば5年生の算数。

　　合同な図形
　　　ぴったり重ねることのできる2つの図形は（　）であるといいます。合同な図形では，対応する辺の長さは（　），対応する角の大きさも（　）なっています。
　　　　　　　　　　　　　　　　　　　　　　　　（教育出版『小学算数5上』，p.32）

第2章 頭の使い方について…考えた

> 倍数と公倍数，最小公倍数
> 　ある整数を整数倍してできる数を，もとの整数の（　）といい，いくつかの整数に共通な倍数を，それらの整数の（　）といいます。公倍数のうち，いちばん（　）公倍数を（　）といいます。
> 　　　　　　　　　　　　　　　　　　　　　　（教育出版『小学算数5上』，p.76）

　形としては，児童が自分で考えて埋めていくことになります。しかし中には，あまり考えなくても近くに答えが書かれている問題もあります（どれが該当するかは，自分で考えてみてください）。これでは生成になりません。もちろん，先生が答えを言って，児童がそれを書き写して穴を埋めていくだけなら，生成効果にはつながりません。

■ 生成の機会を大人が奪っていないか

　また定期テストが近づくと，先生がまとめプリントを作成してくれることがあります。生成効果の観点で考えると，こうした親切は逆効果です。自分でまとめる，自分で説明する，自分で生成する機会を逃すことになってしまうからです。

　これと似た心配を，ある小学校の先生が口にしておられました。「この地区は三世代同居の家庭が多くて，お祖父さん，お祖母さんが，孫の言いたいことを代わりに話してしまうんです。子どもの言葉の力に影響しないでしょうか…」

ツボ

> ヒトの脳は，他人から教わったことよりも，自分で考えたことの方をよく覚えている。ところが教師はしばしば，自分が話したり教えることに一生懸命になりすぎる。どうすれば児童生徒が自分で頭をひねるかという視点から，授業や支援の方法，プリントやワークシートのデザインなどを考えよう。

近くのツボ

> 自分で説明することが学習に効果を持つことは，7-2で詳しく取り上げます。教師が先回りして教えすぎることの副作用は2-6で，質問に来た生徒への指導方法に関連させて取り上げています。

2-3 さまざまな学習方法

　昭和30年代生まれの私たちは子どもの頃から「がんばりなさい」「しっかり勉強しなさい」と言われてきました。これは「努力」を強調する発想です。子どもの頃に見ていたTV番組からしてそうでした。男の子は『巨人の星』、女の子は『アタックNo.1』。根性と努力さえあれば何とかなるという発想で、今見ますと、なんと体に悪いトレーニングをしているのかと驚きます。ご存知ない方は、ネットで「大リーグボール養成ギブス」や「千本ノック」を検索してみてください。

　これに対して、努力やがんばりのエネルギーをどこに向けるべきか、という問いを立てることができます。「がんばれ」ではなく、「どう、がんばればよいのか」ということです。こうした勉強の方法や工夫のことを、心理学では「学習方略」とか「学習スキル」と呼んでいます。

4つの学習方略

　どのような方略があるでしょうか。学校では教科ごとに「理科の勉強の仕方」とか「歴史のノートの作り方」といったアドバイスをすることが多いのですが、心理学者はもう少しおおざっぱに、教科をまたいで方略を捉えようとします。

　子どもがよく使うのに、「とにかく繰り返す」とか「量をこなす」という方略があります。例えば英単語や漢字を「書いて覚える」、社会科なら「年号や人名を丸暗記する」という方略です。ひたすら数学の問題数をこなす、というのもこの方略の一種です。これらは回数や量を重視しますから、ここでは「反復方略」と呼ぶことにします。

　一方、単に機械的に繰り返すのではなく、少しでも自分で考えたり工夫を加える方法があります。例えば英単語であれば「接頭辞を手がかりに意味を推測する」、歴史であれば「まず大きな流れを把握する」といった方法です。他にも、自分で整理してみるとか、場面をイメージしてみるとか、さまざまな方法が考えられます。単純な反復よりも深い認知的な処理を行うので、ここでは「認知方略」と呼ぶことにします。

第2章　頭の使い方について…考えた

　また,「メタ認知方略」というものもあります。これは自分の学習状況を意識的にチェックしたり，必要に応じて調整や修正を加えようとする学習法です。計画を立ててから勉強を始めるとか，勉強の途中で自分の理解度や進行状況を自己評価してみるとか，テストを振り返って自分の間違いやすいところを意識するといったものが該当します。

　さらに，自分の頭を使うだけでなく，自分以外のものを上手に使う方略もあります。メモやノートを使う，付箋を使う，図表を書いて考えるといった方略です。こうした「道具」だけでなく，わからないことは先生や友だちに尋ねる，友だちと一緒に勉強することでモチベーションを高めるなど,「人」を生かすという方法もあります。これらは「外的リソース方略」と呼ばれます。

授業で学習方略を教える

　私たちが何かを覚えようとしたとき頼りがちなのが反復方略です。繰り返し読む，繰り返し書く…その典型を，漢字や英単語の学習，あるいは，かけ算九九の勉強に見ることができます。もう少し高度な方略で学ぶことはできないでしょうか。

　高校1年生の英単語学習に認知方略を生かした，岡田いずみさんの実践事例を見てみましょう。この実践では，接頭語・接尾語・語幹に着目して英単語の意味を推測するという方略を，身近な単語や英文に即して教えました。例えばinやimには「中へ」という意味があります。するとinput（入力）やimport（輸入）が関連づけて学習できます。importableといった長い単語も，[im][port][able]に分解すると，[中へ][運ぶ][できる]から「輸入できる」とわかります。また[port]に既習の接尾語[er]を付けてみると[porter]となります。辞書で

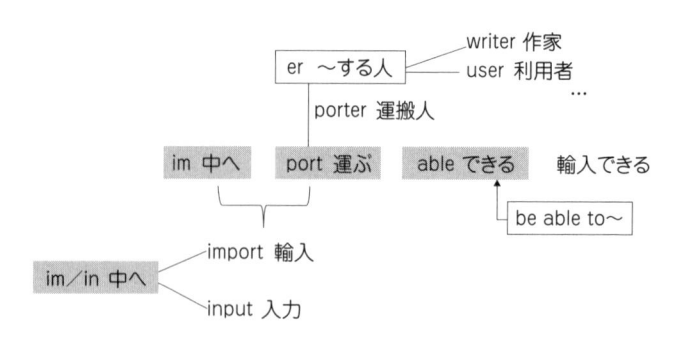

調べると確かに［porter］は「運搬人」と訳されています。

こうした方法を教わった生徒たちからは，「今まで長文読解のときなど長い単語の意味がわからず，やる気がでませんでしたが，単語を分解すれば意味を推測できるのでこれからもこの方法を利用していきたい」とか，「身の回りの英単語の意味を分解して考えるクセがつきました」といった意欲的な感想が返ってきました。また自主学習プリントへの取り組みも積極的になったと報告されています。

こういう学習方法は上手な覚え方の方略であると同時に，英語の仕組みがわかるということで，英語学習そのもののおもしろさにもつながります。英語の知識のネットワークを豊かにする学習とも言えるでしょう。

ツボ

> 「勉強しろ」「頭を使え」と叱咤激励するだけなら，教師でなくてもできる。頭をどれだけ繰り返し使うかだけでなく，どう使うかということに，教師自身が意識を向けてほしい。そして，単純な反復以外の方略を使うことで勉強がおもしろくなることを，授業を通して伝えてほしい。

近くのツボ

> 反復方略の限界については，4－1で考えます。メタ認知については第3章全体で取り上げます。外的リソース方略のうち，道具を生かす学習については第9章全体で，「人」を生かす方略については，2－6で詳しく取り上げます。

2-4 学習方法への意識を

　大学のカウンセラーから，こんなことをうかがいました。大学生が，「進路の迷い」だとか「自分が本当にやりたいことを探したい」とか「学科の友人と合わない」とか言って相談に来るのだけれど，よくよく話を聞くと実は「勉強がわからない」というケースがあるそうです。勉強がわからないから，自分がなぜここにいるのかわからない。勉強の仕方をアドバイスすると，元気に大学に来るようになったというケースもあるようです。反対に，「勉強の仕方がわからない」と相談に来た大学生に，教授が「学問に王道なし」とアドバイスしたという，冗談みたいな実話もあります。

■ 教師には2つの仕事がある

　教師には2つの仕事があります。1つは教科の内容を教えるということ。そしてもう1つは，学び方を教えるということです。学び方＝学習方略の大切さは，2−3でも強調しました。

　ところが先生方は，教科内容の指導には一生懸命ですが，学習方略には意外と配慮しておられないようです。私自身，中学校・高等学校の先生から勉強方法を教わった記憶はほとんどありません。せいぜい，年号や化学記号を覚えるときの語呂合わせでしょうか。そうそう，中学の定期テストの前に，「社会が苦手なんで，どう勉強すればいいかわからない」と窮状を訴えたところ，「一度にやろうとせずに，毎日少しずつやりなさい」というアドバイスをいただきました。分散学習という点では良いアドバイスですが，何を少しずつやればよいのかも教えてほしかった…。

　先生たちは「努力しろ，がんばれ」と言うのだけれど，生徒の方では「いくら努力しようとしても，やり方がわからない。これじゃあ手も足も出ないし，やる気が起きない」ということがあります。それなら勉強方法を教えることで，学習に手を出してみようという意欲を刺激することもできるはずです。大人でもそうですね。英会話ができるようになりたい。でも，どうすればよいかわからな

い。だから，やらない。同僚から「これが結構いいよ」と勉強の仕方を教わって，やっと，「じゃあやってみるか」という気になるわけです。努力するためにも，方略を知っていることが大切です。

■ どんな学習方法を，誰から，どのように教わったのだろうか

　教育心理学者の伊藤崇達さんは大学生を対象に，勉強をすすめる上で自分で考えたり人から教わった工夫や方法で，役に立つものをあげてもらいました。その内容は3つに分けられました。

　第一は「予習，復習をしっかりする」「宿題をきちんとやる」「よく先生の話を聞く」などです。「しっかり」「きちんと」「よく」というのがどういうことか，これだけではわかりません。具体性に欠けることから「抽象的方略」と名付けました。

　第二は「同じ問題を繰り返し解く」「何度も書く」「語呂合わせをする」「要点をまとめた自分のノートを作る」「色ペンで書いたり線を引く」などです。「基礎的方略」と名付けました。2-3で紹介した反復方略と認知方略を含んでいます。

　第三は「わからない問題は，なぜわからなかったのかを考える」「自分でテスト問題・模範解答を作ってみる」「生活の身近なことと関連させて覚える」「いつまでにどれだけやるという計画を立てる」などです。第一・第二のものより高度な認知方略とメタ認知方略を含んでおり，「自己調整学習方略」と名付けました。「自己調整学習」とは，最近の教育心理学で注目されているものです。学習者が自ら計画を立てて，有効な方法を用いて学習を自律的に進めたり，自分の学習の仕方を自分で振り返ることを意味します。

　結果は3つの点で注目されます。

　第一に，大学生が報告した方略の59%は基礎的方略でした。次が自己調整学習方略で29%，抽象的方略は12%でした。つまり「勉強の方法や工夫」といったときに真っ先に思い浮かぶのは，「繰り返す」「何度も書く」「線を引く」といった単純な方略であり，よりいっそう思考を働かせる自己調整学習方略はその半分程度でした。

　第二に，こうした方略を自分で考えたのか，人から教わったのかを分類しました。すると自己調整学習方略の66%は自分で考えたのに対して，基礎的方略の56%は先生や友人など他者から教わっていました。

第三に，他者から教えてもらった場合，口頭での注意や指導で教わったケースが34%，授業などでの一斉指導が26%と多かったのに対して，実際にやって見せてもらったというケースは15%だけでした。

教師は学習方法をどう教えているのだろうか

　以上の結果を，先生の教え方という視点で捉えると，

- ▶先生は基礎的な方法を教えることは多いが，自己調整学習方略のように高度な方法を教えることは少ない。
- ▶高度な方法を先生から教わることが少ないため，子どももそうした方法を意識しない。
- ▶方法を教えるときには口頭での指導にとどまり，やってみせることが少ない。

ということになります。先生方にはケチケチせずに，さまざまな学習方法を生徒に伝授していただきたいと思います。

　学習方法に目配りしているという先生でも，上であげた第三の点－実際にやってみせるということ－は，意外と少ないように思えます。私たち大人が何かを学んだり，人から教わることを考えてみてください。「こうしなさい」というアドバイスだけでなく，目の前でやって見せてもらった方が，学びやすくなります。ぜひ〈アドバイス＋見本〉のセットで教えてください。

学校ぐるみの取り組み

　東京都立稔ヶ丘高等学校では「コーピング・メソッド・タイム」という名称で，1年生を対象に，ノートのとり方，テスト準備の方法，記憶のスキル，問題解決のスキル，自分の理解状況をチェックするスキルなどを教える授業を実施しています。こうした学校ぐるみの取り組みも効果的でしょう。学習方法の中には，教科ごとに異なる方法もありますが，同時に，どの教科でも有効な方法もたくさんあるからです。

『家庭学習の手引』は，どんな方法を教えてくれるだろうか

　『家庭学習の手引』といった冊子を作成して，勉強方法を子どもたちに教えようとしている学校も多いと思います。基本的な生活習慣や勉強時間の話だけでなく，自己調整学習方略のような内容まで含めているか，見直してみてください。

　また，先生方のアドバイスは抽象的で曖昧な表現にとどまる傾向があるよう

2-4 学習方法への意識を

です。伊藤崇達さんの調査でも，「予習，復習をしっかり」とか「宿題をきちんと」といった抽象的な方略の73%は，他者（おそらく教師からだと思われます）から教わったものでした。しかしこれでは，学習方法に悩む児童生徒にとって，ヒントになりません。そうした児童生徒が「あ，こうすればいいんだ！」と思えるような，具体的な見本を『家庭学習の手引』で提案することが大切です。先生自身の提案でもいいですし，友だちや先輩の家庭学習の例を紹介して，そのポイントを先生が解説するという方法も有効です。

> 勉強時間の目安
> 　学年 ×60分
>
> 【家庭学習の方法】
> 宿題をきちんとやろう！
> 予習復習をしっかりやろう！

ツボ

勉強にはどういう方法が有効かを教えるのも，教師の大切な仕事の1つだ。基礎的な方略だけでなく，自己調整学習につながる方略も教えてほしい。そのとき，教師自身が子どもの目の前でやってみせるなど，具体的なかたちで示すことが大切だ。さらに教師一人一人の取り組みだけでなく，学校全体の取り組みも有効だ。

近くのツボ

先生が見本を見せるということの大切さは6－4で，さらに具体的に取り上げます。『家庭学習の手引』については，5－6でも触れています。教師の発想が抽象的なレベルでとどまることについては，6－2で別の角度から取り上げます。

2-5 学習方略が身につくまで

　さて，先生が効果的な学習方略をアドバイスしたとします。けれどもなかなか，その方略が定着しません。見向きもされなかったり，ちょっとやってみたけれども長続きしない，ということが起こります。ダイエットと同じですね。こうすればよいとわかっていても長続きしない。カンフル注射の効き目は，一時的なのです。

なぜ方略が身につかないのか

　ではどうして，先生からのアドバイスだけでは不十分なのでしょうか。

　第一に，「こうしてご覧」と言われても半信半疑で，その方略が有効だと思ってくれないというケースがあります。この場合には，方略を使うことで実際に問題が解けたとか成績が上がったといった経験をして，効果を実感してもらうことが必要です。

　第二に，うまい方略が身につくのに，相当手間暇がかかります。例えば算数や数学の問題解決に図を活用するという方略があります。けれど，「図を描くといいよ」と先生が勧めるだけでは不十分です。最初から問題解決に役立つ図がうまく描けるとは限りません。あまり役立たない図を描く生徒もいます。先生がモデルを示したり，生徒の描いた図を添削したりしながら，図を使った問題解決を繰り返し練習することが必要です。

　第三に，面倒くさいという気持ちが強いと，有効だとわかっていても，方略を使いません。「便利な道具けれど面倒だ。それなら少々不便でも，昔のままの道具でいい」という経験は大人でもあります。人間には，あるやり方に慣れているとそれをなかなか変えたがらないという習性があります。また，少々下手なやり方でも少しは効果がありますし，目標を低めに設定しておけば，それでクリアできてしまうということがあります。繰り返し練習することで効果を実感すると同時に，その方略に慣れて，面倒くささを感じないようにすることが必要です。

学習方略の背景に２つの学習観

最後に，やっかいな原因があります。それは，そもそも学習や勉強をどういうものと捉えているか－これを「学習観」と呼んでいます－という問題です。勉強というのはあれこれ工夫するものだという学習観を，全員が持っているわけではありません。

市川伸一さんの研究グループは，学習観についていろいろ調べました。私たちが持っている学習観を図のようにまとめることができます。「内容を理解したり考えるプロセスを重視する」「方法を工夫する」「失敗から学ぶ」といった考え方は，頭を使ったり工夫したり考えたりすることが学習では大切だと捉えているので，認知主義的学習観と名付けることができます。これに対して，「考え方よりも量を重視する」とか「考えるプロセスよりも結果がすべて」という考え方は，頭をどう使うかということへの意識が弱いことから，非認知主義的学習観と名付けられています。

やはり認知主義的学習観を持っている生徒は，実際にいろいろな勉強方法を工夫しますし，成績も良いようです。逆に非認知的学習観だと，そういう工夫をしないし，成績も伸びないわけです。

こういう学習観というのは，実に根深くて手強いですね。小学生でも「算数は式を書いたりせずに，答がパッと速く出る方がカッコいい」などと，けしからん学習観を持っています。頭の中で正しい式を立てて，正しい答がパッと出ればよいのですが，なかなかそうはいきません。例えば平行四辺形の面積。「要するに，

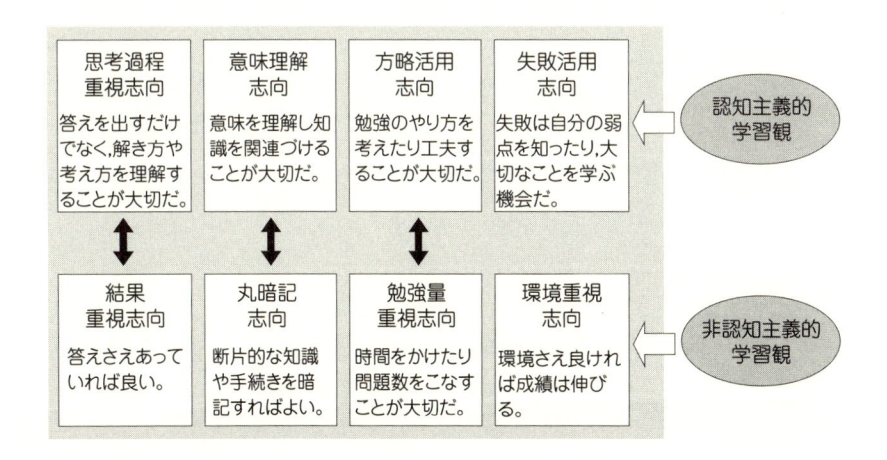

思考過程重視志向	意味理解志向	方略活用志向	失敗活用志向	認知主義的学習観
答えを出すだけでなく，解き方や考え方を理解することが大切だ。	意味を理解し知識を関連づけることが大切だ。	勉強のやり方を考えたり工夫することが大切だ。	失敗は自分の弱点を知ったり，大切なことを学ぶ機会だ。	
↕	↕	↕	↕	
結果重視志向	丸暗記志向	勉強量重視志向	環境重視志向	非認知主義的学習観
答えさえあっていれば良い。	断片的な知識や手続きを暗記すればよい。	時間をかけたり問題数をこなすことが大切だ。	環境さえ良ければ成績は伸びる。	

第2章 頭の使い方について…考えた

かけ算で答が出るんだ」という学習にとどまっていると，ちょっとひねった問題だとお手上げになります。事実，平成19年度の全国学力・学習状況調査で，図に示した算数B問題（東公園の面積と中央公園の面積では，どちらのほうが広いですか。そのわけを，言葉や式などを使って書きましょう）の正答率はわずかに18%でした。1-5で，問題文中に「(値段が) 安い」というキーワードがあると，「安いから，引き算だ」と考えてしまう例を紹介しました。この間違いの背景にも，キーワードだけに着目すれば速く答が出る，という学習観がありそうです。

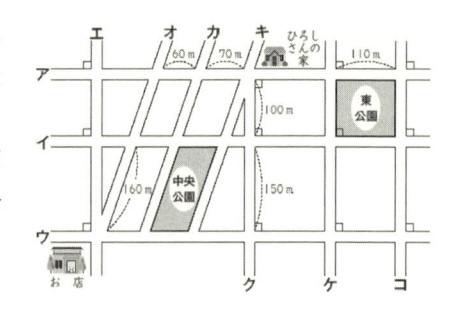

学習観をどう変えるか，私にも名案はありません。毎日の授業が鍵になることは間違いないでしょう。なぜなら児童生徒は日々の授業やテストを通じて，いつの間にか，勉強とはどういうものかという学習観を身につけたからです。ぜひ先生自身に認知主義的な学習観を持ってもらい，授業の中で，方法を工夫することの大切さやおもしろさを伝えてほしいと思います。

ツボ

学習方略が子どもの中に定着するには時間と手間がかかる。繰り返し授業の中で取り上げて慣れるとともに，その有効性を実感させることで，方略を使う習慣が次第に身につく。同時に「勉強とはいろいろ工夫するものだ」という認知主義的な学習観を，授業を通じて育むことも大切だ。

近くのツボ

授業やテストを通して学習観が形成されることは，4-4, 11-1, 11-2でも取り上げます。

2-6 わからなければ，他者（ひと）に聞け

2−3で，外的リソース方略について紹介しました。困ったときに問題を自分で抱え込むのは，得策ではありません。アドバイスや助けを求めることは上手な方法ですし，それが適切にできるということは，1つの能力だと思います。

■ 生徒は教師に頼らない

ところが生徒はなかなか先生のところに質問に行きません。公立中学校の1〜3年生600名弱に対して，「悩みや困ったことを誰に相談しますか？」と問うた調査があります。中学生が勉強の悩みを相談する相手として多かったのは，同性の友人でした。男子の40.4%，女子の56.7%が，同性の友人を選択しました。一方，教員を選択したのは，男子の25.2%，女子の19.4%だけでした。また男子の15%，女子の6%は，「誰にも話さない（相談しない）」と回答していました。

「誰にも話さない（相談しない）」生徒の姿というのは残念です。えてして苦手な人ほど，誰にも相談せずに，問題を放置したり先送りするものです。反対に，ある教科が好きだったり得意な生徒の場合，同じような生徒が集まって勉強の話をしたり，テスト前に問題を出し合ったりする姿が見られます。するとそういうコミュニケーションの中で，「相談」という意識はなくとも，尋ね合ったり教え合ったりすることが行われます。

■ いくつものステップを踏まないと質問できない

ではどうして生徒は教師のところに相談に行かないのでしょうか。先生方は「わからないところがあったら，質問に来なさい」と言います。しかし考えてみると，質問に行けるようになるまで，いくつものステップを踏まなければなりません。

第一に，自分がわかっていないことに気づかないといけません。これは第3章で取り上げるメタ認知が働いているということです。その上で，「なんとなくわからない」ではなく，どこがわからないかはっきりさせないと，質問に行きにく

第2章　頭の使い方について…考えた

いですね。教育心理学者の瀬尾美紀子さんは，高校の数学用に「つまずき発見チェックリスト」というものを開発しました。こういったリストです。

- ▶使える公式があるか確認する。
- ▶問題に書いてあることを，数式で表せるか考えてみる。
- ▶問題に書いてあることを，図，表，グラフで表せるか考えてみる。
- ▶わからない用語や記号にしるしをつけ，教科書で調べる。

こうしたリストを使いながら問題を解く練習をした高校生では，わからなかった問題についても「なんとなく」ではなく，より具体的な質問を考えられるようになりました。このように自分で「どこがわかって，どこがわからないか」が明らかになると，質問しやすくなります。

第二に，教師を質問の相手として選ぶには，「先生は質問を歓迎してくれる」「質問を迷惑がらない」「質問しても怒らない」といった気持ちを，生徒が抱いていなければなりません。

第三に，いつ，どこに行けばよいかがわからなければなりません。私自身が高校生のとき，放課後，先生がどこにいるのかわからずに－職員室かもしれないし，理科準備室かもしれない－，結局質問に行かなかった経験があります。

こう考えると，生徒が質問に来たというのは，3つの山を乗り越えて来たわけで，まさに生徒を育てる千載一遇のチャンスです。どうか，「こんなのも，わからないのか！」なんて言わないでください。そして，生徒が「質問してよかった！」と思えるような対応をしてください。大学生に，「中高校の頃，先生の所に質問に行ったかい？」と尋ねたところ，こういう答えが返ってきました。「質問に行ったけれど，説明がわからないので，行かなくなりました」。

■ 質問は依存心の現れか，自律的な学習方法か？

「質問するのが大切だ」と強調すると，「なんでもかんでも人に頼る，依存的な態度を身につけないか？」と心配される方もいると思います。確かに中には，自分では全然考えずに「わからないから，全部教えて」と言ったり，大して考えずに「どうすればいいんですか？」を連発するケースもあるでしょう。

こうした依存的な態度を身につけてしまうのか，それとも，わからないところを自分ではっきりさせて，自律的な学習の一環として質問に行くのか，その分かれ道にあるのは，質問された先生がどう教えるのか，ということです。

質問するとすぐに教えてくれる先生がいます。非常に熱心なのですが、どうかすると、生徒自身に考えてほしいことを先回りして、教えたり説明したりしてしまっているケースがあります。これに対して、少し時間はかかるのですが、目の前でもう一度問題を解かせてみたり、そのときの考え方を説明させたりすることで、生徒の思考プロセスをなぞって、それに寄り添う形で思考を促すという教え方もあります。生徒自身が自分で考えて問題を解決する、その手助けをするという教え方です。

前者のような教師主導型の教え方を頻繁に行うと、生徒の方はその先生に頼りきって、依存的な態度を身につけてしまう危険性が指摘されています。質問に来やすくするためには、最初は教師主導型でもよいと思います。しかし徐々に後者のような対話型に移行することが大切です。

■ IT化と教師への依存

ところで学校のIT化に関連して、気になる新聞記事を見つけました。

> 「どこがわからなかったのかな？」東京都日野市立平山小学校で6月にあった2年生算数の授業中のことだ。パソコンのモニターに映る計算問題を解いていた中村騏一君（8）に、折茂慎一郎教諭（34）が駆け寄って聞いた。平山小では、算数などパソコンを使う授業で、計算問題を間違えると次は自動的に易しい問題が出るといった機能を持つ学習ソフトを利用している。教師用のモニターには、各児童の小テストの進み具合や正答分布などが表示される。折茂教諭が中村君の机に来たのは、教師用モニターの中村君を示した個所が、1問を解くのに5分以上かかっていることを示すオレンジ色に変わったからだ。「困っていると先生が来てくれる。テレパシーみたい」と中村君は笑った。
> 　　　　　　　　　　　　　　　　　　　　（読売新聞2010年8月5日）

もちろん、このあとの先生の教え方にもよりますが、「困っていると先生が来てくれる」という便利さが、児童の依存的な態度につながらないか、不安になりました。

ツボ

他人に質問することは1つの学習方略だという意識を、児童生徒に持たせたい。そして教師が児童生徒にとって有効なリソースの1つとして機能するために、質問に来やすい環境を作らなければならない。また質問を自律的な学習に結びつけるため、つまずきを自己診断するコツを教えたり、対話型の支援を通して自力解決を経験させることが大切だ。

近くのツボ

教師の教え方と児童生徒の個性の間には相性があり、相性が悪いと学習効果が低下します。その意味では、教えてもらえる相手が複数いる方がよいのです。このことは12－1で、研究例をあげながら説明します。

2-7 やはり予習はした方がいい

　復習の大切さを否定する先生はいないと思いますが，予習については，先生によって意見がバラバラです。「予習はした方がいい」「予習はしてもしなくてもいい」「予習はしない方がいい」と，さまざまな意見を耳にします。「しなくてもいい」という先生にお話をうかがうと，「教科書を予習してもどうせ，わからないでしょ」と言います。それなら授業を受ければわかるのでしょうか？「しない方がいい」という先生は例えば，「算数の解き方を考えさせたいのに，先に公式を見られると困る」とか，「理科の実験をやる前に結果を見られると困る」と言います。

予習がいいと考える2つの理由

　私は，予習は「した方がいい」という考えです。その理由は2つあります。
　第一に，教科書を一通り読む程度の予習であっても，それによって次にどんな勉強をするのかわかります。たとえ内容がよくわからなくても，「次はわかりにくそうだ」という見通しを持つことができます。それだけでも，授業に臨む姿勢が違ってくるでしょう。
　第二に，予習して少し内容がわかったとしても，おそらく，わからないところもあるはずです。そうすると，「ここは注意して聞こう」といった構えができます。つまり難しいところに適切にエネルギー（1−1で取り上げた「処理資源」）を振り向けることができるのです。

予習の効果が実証された

　こうした予習の効果を実証した研究があります。教育心理学者の篠ケ谷圭太さんの研究では，大学主催の学習講座に集まった中学2年生を対象に，50分間の社会科（歴史）の授業を4回，実施しました。その際にクラスを分けて，授業前に教科書を5分間読んでおくクラスと，授業後に教科書を5分間読むクラスを設けました。そして5回目に，それまでの授業内容についてのテストを実施したの

です。テストは用語や人名を問うものと，出来事の因果関係を問う記述式のものがありました。テストの結果はどうだったでしょうか。予習をしたクラスの方が予習をしないクラスよりも高得点でした。また予習の効果は，特に記述式のテストでハッキリと現れました。

では予習－しかもたった5分の予習－がどうして，効果をあげたのでしょうか。それは生徒のノートの分析から明らかになりました。予習した生徒たちの方が，板書を書き写す以外にも，たくさんノート（メモ）をとっていたのです。授業の見通しを持つことで，メモをとる余裕が生まれたのではないでしょうか。1－1で述べたとおり，「脳はすぐにイッパイ，イッパイになる」ことからも，うなずける結果です。

この研究ではさらに2つ，おもしろい結果が報告されています。まず，授業への関心をアンケートで尋ねたところ，予習をするクラスもしないクラスも，関心の程度には違いがありませんでした。「予習をすると，授業への関心が下がるのでは…？」と心配することはなさそうです。

それから，予習の効果が，学習に対する生徒の意識によって少し異なることがわかりました。歴史の授業ですと，「出来事同士の流れをつかむことが大切だ」という意識の生徒がいる一方で，「とにかく丸暗記でいい」という意識の生徒もいます。これは2－5で紹介した学習観の個人差です。予習の効果は，意味を理解することが大切だという学習観を持つ生徒で，特にハッキリと現れました。

少し長くなりましたが，予習はその後の学習にプラスの効果があること，予習をしても授業への関心を損なったりしないことが，わかっていただけたでしょうか。また予習の効果を上げるためにも，内容を理解することに意識が向くような授業ができればとてもいいなと思います。

▌予習の「半わかり」を授業で「本わかり」に

「でも…」というつぶやきも聞こえてきそうです。予習で教科書の内容が全部わかったら，教えることがなくなるんじゃないかと。心配いりません。「わかった」と思っていても，「半わかり」や「わかったつもり」の状態がほとんどでしょう。わかったつもりの子どもが，わかっていなかったことに気づくような授業をすればいいのです。予習は予告編，授業は本編です。

予習と授業の関係については，教育心理学者の市川伸一さんが「教えて考えさ

せる授業」という方法を提案しています。この指導方法では，教科書に書かれている公式などは，時間をかけて考えさせるのではなく，予習をさせたり，先生がわかりやすく説明して教えてしまいます。その上で，教わった内容を児童自身の言葉で説明させたり，友だちと説明し合うことで，理解を確認します。さらに，児童が間違いやすいような問題を用いて，教わった内容の意味を深く理解させます。最後に，わかったこと，まだわからないことを振り返って記述させます。

例えば，小学校6年生理科「つりあいとてこ」。この単元では，図に示すように，てこの左右で「おもりの重さ×支点からの距離」が等しいときに，てこが釣り合うという決まり（法則）を学びます。ここまでは予習と説明で教えて，てこにおもりをぶら下げた実験で，法則を確認します。

その上で，理解を深める課題に挑戦します。例えば，実験用のおもりではなく，ニンジンをぶらさげて釣り合っているとします。ニンジンをぶら下げているひもの位置で，ニンジンをすぱっと切って重さを量ります。2つに切れたニンジンの細くて長い方（左）と太くて短い方（右）の，どちらが重いでしょうか？ それとも同じ重さでしょうか？ 先生方でも意外と「釣り合っているから同じ重さ」と考える方が多いようです。けれど「重さ」で釣り合っているのではありません。「重さ×距離」で釣り合っているのです。釣り合っているなら，太くて短い（＝支点からの距離が短い）方が重いのです。

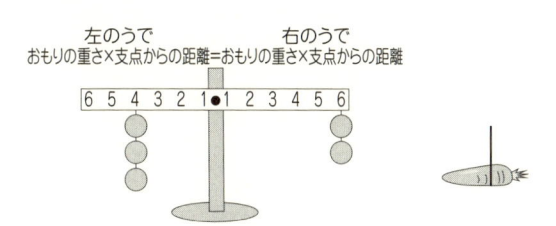

このように「教えて考えさせる授業」では，予習をしたり，基礎を教師が教えたりした上で，その内容を確認します。さらに，こうした考える課題で，学んだことの理解の深化を図ります。子どもの予習の先を行き，「半わかり」を「本わかり」にする授業の提案です。

ツボ

予習は復習と同じくらい大切な学習だ。予習によって内容についての予備知識や見通しを持てば，授業の受け方，ノートのとり方，理解度も変わってくる。先生方には，授業のねらいに即した効果的な予習を指示したり，予習段階での「半わかり」を「本わかり」に変える授業を工夫してほしい。

近くのツボ

予習は家庭学習や宿題の1つとして位置づけることができます。家庭学習や宿題については5－6で詳しく考えています。

第3章
メタ認知について…考えた

　目標に向かって一生懸命に取り組むのは尊いことです。けれども一生懸命も程度によりけりです。どうかすると熱くなりすぎて、自分が見えなくなってしまいます。エネルギーはかけているけれども、かける方向や重点を間違えているということもあります。

　そうならないためには、自分の取り組み方を冷静に検討し、目標に向かっているのかどうか考えることが必要です。このように自分の思考や学習を冷静に見ること、そしてその結果に応じて軌道修正を加えること、これが「メタ認知」と呼ばれる頭の働きです。

　メタ認知を十分に働かせるということは、自分のことが自分でわかる、自分で自分の頭を上手に活用できる、ということです。けれどもそれは、とても難しいことです。どうすればいいのか、考えました。

3-1 自分で自分を見つめる眼

　児童が足し算の筆算に取り組んでいます。問題は「35 + 27」。
　Aさんは「52」と書いて，次の問題に移りました。
　Bさんは「52」と書いたあと，一瞬，「おやっ？」という表情を見せましたが，やはり次の問題に移りました。
　Cさんは「52」と書いたあと，「おやっ？」と思い，もう一度見直しました。そして繰り上がりを忘れていたことに気づいて，今度は「62」という正しい答を出しました。
　3人の児童は最初は同じ間違いをしていました。しかしその後の展開が違います。Aさんは間違いに気づいていません。Bさんはなんとなく，自分の計算がおかしいと感じたのですが，そこで止まっています。Cさんは，自分の計算がおかしいことに気づいて，適切に修正することができました。
　Cさんのように，自分の思考や判断－ひっくるめて「認知」と言います－について，適切に判断して，必要に応じて修正を加えていける力のことを，「メタ認知」と言います。「メタ」とは「上位の」という意味です。「自分で自分の思考や判断について，一段高いところから判断する力」というわけです。

■ メタ認知を構成する3つの働き

　詳しく言うと，メタ認知は3つの働きから成り立っています。
　第一は，自分の思考が正しく働いているか，監視する働きです。これをモニタリングと言います。筆算で「おや，なんか変だぞ」と気づいたということは，モニタリングがうまく機能していたということです。
　こうして何かがモニターに引っ掛かったら，それに応じて手を打たなければなりません。Cさんは次の問題に進もうとしていた手を止めて，自分の計算を見直しました。そし

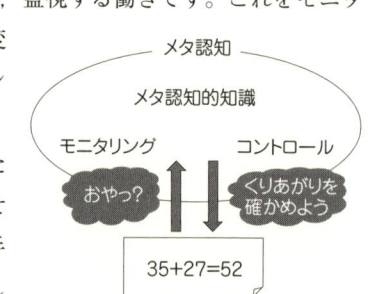

て慎重に,「5 + 7 で 12」とつぶやき,繰り上がりの「1」をメモして,10 位の「3 + 2」にさらに「1」を加えて,「62」としました。このように,モニタリングの結果を受けて適切な修正を加えることを,コントロールと言います。B さんは,モニタリングはできていたけれどコントロールが不十分だったのです。

さらに,こうしたモニタリングやコントロールの背景には,さまざまな知識があります。C さんのメタ認知がうまくいったのは,

- ▶おかしいと思ったら,すぐに計算を見直すとよい。
- ▶途中経過を書くと間違いにくい。

といった知識があったからです。C さんは他にももしかしたら,

- ▶自分はあわて者で,よく計算を間違える。
- ▶前の時間から,繰り上がりのある足し算を勉強している。

といった知識も持っているかもしれません。このように,いま取り組んでいる課題や,そこでの自分の取り組み方に関わる知識を,メタ認知的知識と呼びます。

モニタリング,コントロール,メタ認知的知識,これら3つの働きを生かすことで,自分で自分を上手に動かすことができるのです。

自律的・長期的な学習にはメタ認知が不可欠

ここでは筆算に取り組んでいる児童を例にあげました。もっと長期的な学習にも,メタ認知は大切です。例えばテスト前の勉強。定期試験前の1週間程度の勉強もあれば,受験に備えての1年がかりの勉強もあります。どちらにせよ,自分の勉強が目標に向かって予定通りに進んでいるかをモニターし,ときには修正を加えなければなりません。そのためには,どういう勉強方法が効果的か,自分の苦手な教科は何か,どんな勉強にどのくらいの時間がかかるか,といった知識も不可欠です。

メタ認知は一言で言えば「自分で自分を見つめて,自分で自分をコントロールすること」。こう考えると,メタ認知は,自律的に学習を進めるのに不可欠と言えます。それと同時に,勉強だけでなく,大人が仕事をする上でも,また日常生活のさまざまな場面でも大切なことが,わかっていただけると思います。

けれどもメタ認知は難しい

しかし同時に,メタ認知がなかなか難しいこともわかっていただけるでしょ

か。なにせ人間は古代ギリシャ時代から,「汝自身を知れ!」と戒められているのですから。ほら,いるでしょう? 「あいつ,自分で自分のことがわかっていないんだよな」と周囲から思われている人…これを読んで「いるいる」と思ったあなた! それはあなたですよ!

ツボ

自分で自分の思考過程について判断する力を「メタ認知」と呼ぶ。メタ認知を発揮して,自分で自分をモニタリングしたり,それに応じてコントロールしたりすることは,簡単な問題解決から長期的な勉強に至るまで,さまざまな学習にとって不可欠だ。

近くのツボ

メタ認知を積極的に生かした学習方略である「メタ認知方略」については,2−3で触れています。

3-2 メタ認知と読むこと

　メタ認知は，さまざまな学習活動で大切な役割を果たします。ここでは「読むこと」について考えてみましょう。「読むこと」というと，国語の読解を想像されると思いますが，国語に限らず，文章を読む機会はたくさんあります。そもそもどの教科でも教科書を読みますし，算数の文章題では，計算力はあっても文章を「読み」間違えたために誤った解き方になることが多いのです。

■ 自分が読み飛ばしていることに気づいていない

　私が大学生の頃，ゼミの指導教員から言われたことがあります。それは，「初学者が論文や専門書を読むときは，一文一文，『うん，わかった，うん，わかった』と確認しながら読みなさい」ということです。しかし大人も子どもも，そんな読み方をすることは稀です。むしろ，さくさく読み飛ばし，しかも自分がそういう雑な読み方をしているのに気づいていないことが多いのではないでしょうか。

　ためしに次の文章を読んでみてください。小川未明の「野ばら」という作品の冒頭です。

> 　大きな国と，それよりは少し小さな国とが，となり合っていました。当座，その二つの国の間には，何事も起こらず，平和でありました。

（光村図書『国語六（上）創造』, p.4）

　2つの国は，どんな国でしたか？　おそらく多くの人が，「大きな国と小さな国」と答えるのではないでしょうか。私もそう答えました。もう一度よく読んでください。「大きな国と，それよりは少し小さな国」とあります。本文に戻って，しかも絵に描いてみると，正しく判断できます。けれど日頃はそんな面倒な読み方はしていません。

第3章 メタ認知について…考えた

飛ばさずに読ませるには

　こんな読み方ですから，文中におかしな箇所があってもなかなか気づきません。教育心理学者のラブマンとウォーターズは，次の文章を小学校3年生と6年生に読ませました。

> 　その日の午後はずっと雪が降っていました。でも中庭の池が凍るほどの寒さではありませんでした。猫のティドルはドアの前に座って，誰かが温かい家の中に入れてくれるのを辛抱強く待っていました。ティドルは午後の間ずっと外にいて，ティムとリサの二人の子どもが雪の中で遊んでいるのを眺めていました。子どもたちも池でスケートをしたかったのですが，池が凍るほどの寒さではなかったので，かわりに雪だるまを作りました。古い松の木の横に，すてきな雪だるまができました。雪だるまができたので，子どもたちは今度は池で楽しくスケートを始めています。魚が水から飛び跳ねています。ティドルは魚を見て，今夜のご馳走を思い浮かべました。

　「池が凍るほどの寒さでなかった」のに，子どもたちは「スケートを始めています」。ということは氷が張っているはず。それなのに「魚が水から飛び跳ね」るのは，明らかに矛盾しています。けれどもこの矛盾に気づいた児童は，3年生の読解力が高い児童で46％，6年生の読解力の高い児童でも50％でした。
　そこでラブマンたちは，図に示したようなボード上に，文章の構成要素をマグネットで貼り付ける道具を作りました。そして小学生に，このボード上にパーツを貼らせながら，文章を読み直させました。そうすることで，矛盾に気づいた児童は，3年生でも6年生でも20％ほど増えたのです。
　このようにさらっと読んで，矛盾に気づいていないということは，自分が文章を理解できているのかチェックするモニタリングが十分に働いていないことを示しています。1−4でも述べたように「脳は省エネ志向」ですから，モニタリングやコントロールのような＋αの働き方をせずに，さらっと読んで（読み飛ばして），それでお終いにしてしまうことが多いのです。

3-2 メタ認知と読むこと

■ 算数の文章題を読むときも

国語の文章に限りません。算数で，

> **問題** みかんが 15 こあります。何こか買ってきたので，ぜんぶで 28 こになりました。買ってきたみかんは何こですか。

といった問題を解くとき，児童の中には「ぜんぶで」というところだけに着目して，「ぜんぶ，だから，足し算」と考える児童がいます。問題文を丁寧に読んで，こういうミスを防ぐためにも，絵に描いてみることは効果のある方法です。

算数の文章題を解くステップについては，1－5で取り上げました。特に「変換（言葉や文の意味がわかる）」と「統合（文章全体の状況がわかる）」のステップでは，メタ認知を働かせながら文章題を正しく読む解くことが必要です。

☞ ツボ

> 文章を読むとき，人はモニタリングの機能を十分に働かせず，さらっと読み飛ばしてしまうことが多い。それで正しく読めている場合もあるが，誤解していたり，矛盾に気づいていない場合も多い。さらっと読むプロセスを，あえて立ち止まらせることで，読みを適切にモニタリングすることにつなげられる。

☞ 近くのツボ

> 算数で問題文中の特定の言葉にだけ着目して解いてしまう傾向については，4－4でも取り上げます。

3-3 メタ認知と書くこと，話すこと，伝えること

　「書く」ことにとって，メタ認知はどういう点で大切でしょうか。ここから先の話は，「書く」だけでなく，相手に何かを説明したり，伝えたり，話したりすることとも重なります。国語だけでなく，他の教科でも，考えたことを書いたり，書いたことをもとに他の人に説明するという学習活動はたくさん行われています。

　単純な例ですが，授業を参観していると，教室の後ろまで聞き取れない小さな声で発表している児童や生徒がいます。学年とは関係ありません。自分の声が他の人に聞こえているかモニタリングできていないと言えるでしょう。

　では声が聞き取れたらよいかというと，当然，それだけではありません。皆さんのまわりにも，「あの人，何言っているのかわからない」と思われている人がいることでしょう。相手に伝わるよう，内容や話し方あるいは書き方を工夫することが大切です。そこにメタ認知が関わってくるのです。

■ 目的や相手に応じて

　中学校の国語の教科書を見ると，「説明のしかたを工夫しよう」といった解説が掲載されています。そこでは必ず「目的や相手に応じて書く」ことが強調され，例えば「説明する事柄について，どんなことを伝えるのか，相手がそれをどの程度知っているかをまず明らかにすることが大切だ」とあります。けれど残念なことに，それ以上の詳しい説明は書かれていません。そこで「書く」ことについての心理学の研究を参考にしてみましょう。

■ 文章の熟達者と初心者を比べると

　文章の熟達者と初心者を比べた研究によると，熟達者の文章は「読み手中心」，それに対して初心者の文章は「書き手中心」と言われます。これは，どれだけ読者を意識して，文章の構成や内容，表現を工夫しているか，という違いです。初心者に比べると熟達者は，次にあげるような工夫を凝らすことが多いのです。

3-3 メタ認知と書くこと，話すこと，伝えること

- ▶読者が誰なのか，何に関心を持っているか，何を知りたいか，などを分析する。
- ▶読者の関心を引きそうなトピックから書き始める。
- ▶読者が知っていること，知らないことを考えて，読者にわかりやすい表現を使う。
- ▶何のための文章かを考え，それに応じて内容を取捨選択する。

これに対して初心者はしばしば，自分が思いつくままに文章を書き連ねたり，調べたことを全部盛り込んだりします。その文章が読者にとっておもしろいか，わかりやすいか，重要な情報を選んでいるか，不親切な表現になっていないか，といった視点から，自分の文章をモニタリングしたりコントロールすることは，あまりありません。

けれども初心者でも，経験を積んだりコツを教わることで，読者の立場に立った文章が書けるようになります。「読者の立場に立った文章が書ける」ということは，それだけメタ認知を働かせて，自分の文章を客観的に捉えることができるということです。

■ こんな図形を説明できますか？

私は大学生や教員の方たちに二人一組で協力してもらい，こんな研究を行ったことがあります。図に示した図形を一人の参加者の手元に持っておいてもらい，この図形を説明する文章を書いたり，あるいは口頭で説明してもらうのです。説明を受けたもう一人の方は，その説明に従って図形を描きました。そしてもと通りの図形が描けたかどうかを調べるのです。もと通りの図形が描けたら，それだけ良い説明ということになります。

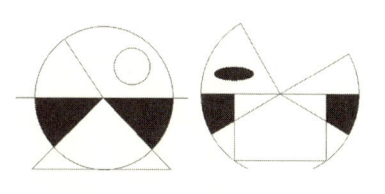

相手に伝わる説明には，次のような特徴がありました。

- ▶1つの文が短い。
- ▶途中で「～～が黒くぬれましたか？」といった確認が入る。
- ▶「下半分は以上です。では上半分の説明をします」といった説明が入る。これは説明の説明，説明の方向指示，である。

総じて，相手のことを考えた親切で丁寧な説明と言えます。また，大学生と小中学校の先生を比べると，小中学校の先生の方が，相手に伝わる説明になっていました。日頃から相手を意識した説明をしているためと言えそうです。

第3章 メタ認知について…考えた

🟦 中学生も説明が上手になった

　中学生ではどうでしょうか。中学生に同じような実験を行いましたが，なかなか相手に伝わる説明は書けません。そこで相手が描いた図形を説明者に見せて，「あなたの説明でこんな図形が描かれましたよ」と教えたのです。なかには「僕はちゃんと説明したのに！」と怒り出す生徒もいました。けれど多くの生徒は，相手が描いた図形を参考にしながら，前よりもわかりやすい説明に直すことができました。しかもこうした経験をすることで，次に初めて見る図形についても，相手に伝わる親切な説明を書くことができるようになったのです。

　この研究は，文章を書くときに，

▶相手を意識すること。
▶自分の説明が伝わったか，相手に確認すること。
▶その上で，文章を修正すること。

の大切さを示しています。相手を意識しながら自分の文章を見たり，相手からの評価を受けて見直したりすることが，メタ認知の「モニタリング」にあたります。その結果をふまえて適切に修正することが，「コントロール」にあたります。

　3－1でも述べましたが，自分を客観的に見るのは難しいことです。そこで相手を意識したり，相手に確認するということは，他者の眼を借りてメタ認知を働かせるということになります。他者の眼を借りることは，メタ認知を育むのにとても有効です。

3-3 メタ認知と書くこと，話すこと，伝えること

ツボ

相手に伝わる文章を書く力を身につけるには，自分の書いた文章が相手に伝わったか，相手は関心を持ってくれたかなどの視点から，「書く」プロセスをモニタリングしコントロールすることが必要だ。そのためには，相手を分析してから文章を書いたり，相手の眼で文章を評価してもらう，といったことが効果的だ。

近くのツボ

他者の眼から自分の文章を見てもらうことで作文をレベルアップさせた実践について，3－4で丁寧に紹介します。

3-4 作文を友だちに見てもらう

　小学校6年生の担任をしているS先生は、児童がメタ認知を働かせて文章を書くことの難しさを実感していました。日頃からこんな児童の姿に接していたからです。

- ▶相手が知らないことを考慮しない。例えば自分がペットを飼っていることを説明せずに、いきなり「ハナは」などと書き始め、その後もペットが犬か猫かの説明がない。
- ▶思いついた順番に書いて、効果的な（相手に伝わる）構成や表現を工夫しない。
- ▶ネットで調べた情報をそのまま作文に盛り込むため、自分で読めない漢字やわからない言葉が含まれている。しかもそのことに、自分で気づいていない。友だちに向かって音読して初めて、自分でも読めないことに気がつく。
- ▶材料を取捨選択できない。
- ▶誤字脱字が多い。
- ▶「僕の好きなのはカレーが好きです」といったねじれがある。
- ▶書いた作文を見直す（推敲する）ことを嫌がる。
- ▶見直しても、見落としが多い。漢字の間違いを1つ直しても、同じ間違いがたくさん残っている。
- ▶教師が添削すると直すが、次の作文で同じ間違いを繰り返す。

作文授業の工夫

そこで国語の「意見文を書く」単元で次のような工夫をしました。

①自分たちの小学校の課題をあげて、その解決策を校長先生に向けて提案するという意見文を書く。こうすることで、読者や目的をハッキリ意識させる。
②作文を書く前に構想メモを作る。メモの作り方は教科書にある文章を例にして学習する。
③構成メモを4人一組のグループで互いに読み合い、不十分な点を指摘し合う。そのとき、メモのどこに気をつけるかという観点（評価規準）を教師から示す。
④友だちの意見に基づいてメモを修正する。
⑤修正されたメモを見ながら、作文を書く。
⑥書けた作文を友だち同士で交換して、推敲する。このときも推敲の観点を教師から示す。

教科書の文章例を使ったり，基準や推敲の観点を与えることは，作文にとって何が大切かというメタ認知的な知識を与えることにつながります。友だちに推敲してもらうことは，自分では難しいモニタリングを代行してもらうことになります。そしてその結果に基づいて修正することは，メタ認知のコントロールにあたります。同時に，友だちの作文を推敲することで，「あ，こんな間違いをするんだ」「この表現はわかりにくいなあ」「こう書けばいいんだ」など多くのことを学ぶ機会にもなります。このように，友だちに推敲してもらうこと，友だちの書いたものを推敲すること，これら両方向の活動がメタ認知を育むことにつながります。

■ テーマ設定，構成メモ，推敲，そして本文へ

　児童たちは，登下校の安全，図書室の本の行方不明，クラブの数，階段の危険など，自分が感じているさまざまな課題について

▶どうしてそのことが課題（問題）なのか。
▶他の児童はどう感じているか。
▶他の学校ではどうか。
▶どうすればいいか。

といった構成メモを作り，それに基づいて改善案を提案する意見文を書きました。

　構成メモを推敲するためにS先生が用意した評価規準は，次のものでした。〈はじめ〉，〈なか〉，〈おわり〉の構成に従っています。

　　〈はじめ〉
　　　・課題がハッキリしている。
　　　・書く人の立場がハッキリしている。
　　〈な　か〉
　　　・〈はじめ〉で取り上げた課題に関係する理由や原因（体験や資料）がある。
　　　・〈おわり〉で取り上げた解決策に関係する，他での取り組みがある。
　　　・提案や意見を説明する具体例（体験や資料，他での取り組み）は，提案や意見をわかりやすくしている。
　　〈おわり〉
　　　・書く人の提案や意見がハッキリしている。

　児童たちは，友だちの構成メモをこの規準に照らして，問題なければ「〇」，

第3章 メタ認知について…考えた

まだまだよくなると思えば「↑」の印を，規準ごとに書き込んでいきました。こうして友だちの推敲を経て構成メモを修正し，メモを見ながら意見文を書き上げ，さらに友だちに推敲してもらいました。

意見文を書き上げた児童たちは，「疲れた〜」とでも言いたげな表情を浮かべていました。それはそうでしょう。これほどしっかりと自分の作文に向き合ったり，頭をフル回転させて他の児童の作文を読んだことは，これまでになかったでしょうから。

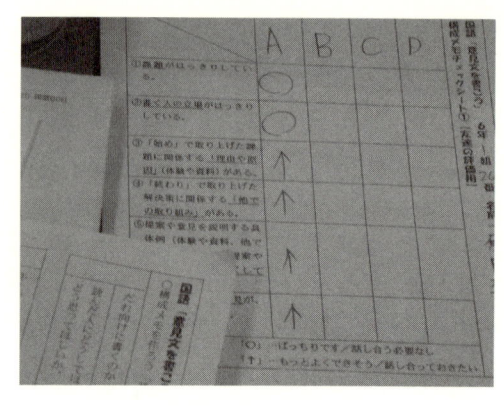

■ 推敲（評価）の観点はメタ認知的知識につながる

　推敲の観点としてS先生が具体的な規準を示したことも効果的でした。評価規準は教師が児童を見取るための手がかりとなるだけでなく，児童がメタ認知を働かせて，自分で自分の学習をモニタリングしコントロールするための，とても大切な手がかりにもなるのです。やがてこの規準が，自分自身のメタ認知的知識として定着することを期待したいと思います。熟達した書き手は，そうしたものをしっかり持っているからです。

　児童の作文をきちんと見て丁寧に指導するのは，大変な手間です。けれども，観点を決めてそこに絞って評価したり，S先生のような方法でメタ認知を育むことができれば，徐々に教師の負担を減らしながら，書く力をつけることも可能ではないでしょうか。

3-4 作文を友だちに見てもらう

ツボ

自分の文章を自分で冷静に見直すことは難しい。そこで友だちに推敲してもらったり，友だちの書いたものを推敲することで，モニタリングやコントロールの力がつく。またこうした推敲に先立って教師が評価規準を明示することは，何が作文に必要かというメタ認知的知識を与えることにつながる。

近くのツボ

評価規準を子どもに示すことが，子ども自身の学習にプラスに働くことは，11－2で別の角度から取り上げます。またここで紹介した実践の意味づけは，10－4で別の角度から取り上げます。

3-5 まずは代行から

　先生方，初めて教壇に立った頃のことを思い出してみてください。準備をして授業に臨んでも，考えていたとおりに進むわけではありません。それでも予定していた内容だけはこなさなければと焦ってしまい，焦ると今度は早口になり，頭がカッカと熱くなり…といったことはなかったでしょうか。

　経験を積むと，児童の様子を見ながら「これは少し問題が難しかったから，ヒントを出そう」「このままだと中途半端になるな。よし，次の内容に入るよりは，似た問題を出して今日の学習を定着させよう」などと考えることができます。つまり，自分の進め方をモニタリングし，そしてコントロールできるわけです。

■ 最初は自分を見つめる余裕がない

　ですから最初は授業をすることで精一杯で，授業をしている自分を同時に客観的に見つめるなどという余裕はありません。1-1で指摘しましたが，「脳はすぐに，イッパイ，イッパイになる」のです。

　子どもが問題解決に取り組んでいるときもそうです。慣れない課題や苦手な課題の場合，それに取り組むだけで精一杯で，その取り組み方でいいのか，解決に向かっているのか，軌道修正の必要はないのか，といったことをメタ認知を働かせて判断する余裕はありません。

　ではどうすればよいのでしょう。このままだと車が道路を外れてガードレールに衝突するのを待つばかり，という事態になってしまいます。

■ メタ認知の役を他の人や道具にまかせる

　こういう段階では，本人にはまず問題解決に専念してもらい，メタ認知を働かせてモニターする役目を，他の人に代わってもらう（代行してもらう）ことが有効でしょう。3-4で，友だちに構成メモや作文を推敲してもらったのも，代行の1つの例です。モニターする側も，友だちの勉強を見ることで，気づくことは多いはずです。「傍目八目」(おかめ)（第三者には当事者よりも物事がよく見えること）と

言いますよね。

　また，海外では，モニタリングやコントロールのヒントが書かれたカードを使うことで，問題解決が促されるという研究も報告されています。例えば算数や数学では，こんなカードです。

> **カード**
> ①何がわからないといけないのか自分の言葉で言いなさい。
> ②問題を解くのに必要な数字はどれですか？
> ③どんなステップを踏まないといけませんか？
> ④各ステップのあとで解決に向かっているか考えなさい。
> ⑤結果をチェックしなさい。
> ⑥結論を出せますか？

> **カード**
> ①Ｘ軸は何ですか？
> ②Ｙ軸は何ですか？
> ③グラフ上の1つの点は何を表していますか？
> ④どんな方法が使えそうですか？　なぜその方法がいいと思いますか？
> ⑤前に解いた問題とどこが同じですか？　どこが違いますか？
> ⑥この答でよいでしょうか？

こうしたカードを手元に置いて，これを参照しながら問題を解くわけです。

　もちろん算数・数学が得意なら，こうしたカードがなくても，頭の中でこれと同じような事柄を自問自答しながら解き進めていけるのでしょう。けれど苦手な児童生徒にとっては，こうしたカードがあることで，何に気をつければいいのか，どう考えればいいのかが，いつでも見えることになります。こういったカードは日本では「ヒントカード」と称して，授業に取り入れている先生も多いと思います。

■ 先生からの声かけもメタ認知の代行になる

　ところで，ここで紹介したカードをよく見ると，この中身は先生が机間巡視をしながら児童生徒にしている「声かけ」と似ています。試しにカードの一部を，声かけ調に翻訳してみましょう。

第3章 メタ認知について…考えた

カード	声かけ
何がわからないといけないのか自分の言葉で言いなさい。	何を求めたらいいのかな。
問題を解くのに必要な数字はどれですか？	どの数字を使えばいいかな。
各ステップのあとで解決に向かっているか考えなさい。	この方法でうまくいきそうかな。
結果をチェックしなさい。	これでいいかな。
どんな方法が使えそうですか？ なぜその方法がいいと思いますか？	どうやればいいかな。どうしてそう考えたの。
前に解いた問題とどこが同じですか？ どこが違いますか？	前にやったことがないかな。

　こうしてみると，先生の声かけは，問題を解いている児童生徒のメタ認知を代行して，問題解決に向かって児童生徒をリードしてくれるものだと言えます。上にあげた声かけの多くはモニタリングにつながる内容ですが，他にも，「ちょっと図に書いてみようか」とか「問題を最初からもう一度読んでみようか」など，コントロールにつながる声かけもあります。

教師がメタ認知を代行

処理資源は，問題解決で，イッパイ，イッパイ。

ヒントカードがメタ認知を代行

▌相手の耳に届く配慮を

　けれど先生がこうした言葉を発すればよいというものではありません。机間巡視しながら，こうした言葉を教室全体に向かってつぶやいている（あるいは「問題よく読めよー！」「解いたら見直すんだぞー！」と絶叫している）先生，いませんか？　これでは，その声かけを必要としている児童生徒の耳に届かないかもしれません。また，その声かけを必要としていない児童生徒には，ただの騒音でしかないかもしれません。この声かけは，いわば「脳の代行」ですから，その子のそばで囁くくらいがよいでしょう。

3-5 まずは代行から

ツボ

不慣れな課題，苦手な課題に取り組むときには，課題に専念させて，メタ認知の機能は物や他者が代行すればよい。課題遂行に慣れてくると，メタ認知を働かせる余裕が生まれてくる。ヒントカードや教師からの声かけも，児童生徒のメタ認知の代行と捉えて，よりよいカードや声かけを工夫しよう。

近くのツボ

1－5で取り上げた問題解決の4ステップ－変換，統合，計画，実行－のいずれでも，モニタリングやコントロールは不可欠です。4つのステップに即して，ヒントカードや声かけを工夫することも大切です。

3-6 代行から実力へ

　3－5で，問題解決に不慣れな間は，友だちや先生がメタ認知の代行をしたり，あるいはヒントになるカードを手元に置いて参照することが有効だという話をしました。けれど親切すぎるのも考えものです。

　例えば算数の文章題を教えるとき，先生の中には，問題解決のステップを踏みながら解けるよう，非常に丁寧なワークシートを作成する方がおられます。こうしたワークシートでは例えば，

ステップ	①求めることは何ですか。 ②わかっていることはなんですか。 ③数直線で表しましょう。 ④〜〜を□として，……と〜〜の関係を式に表しましょう。

と，解決までの道筋を踏み外さないようなレールが敷かれています。

いつまでも代行まかせではいけない

　しかしいつまでも代行や，先生が敷いてくれたレールに頼っているわけにはいきません。いずれは自分で，自分の思考をモニタリングして，問題解決に向かって進んで行けるようになってほしいものです（こうした姿を学校現場では「自己学習力」と呼びます。心理学では「自律的学習」とか「自己調整学習」と呼んでいます）。そうでなければ，いつまでもナビに頼り切って，自分では道を覚えないドライバーのような状態にとどまってしまいます。

　それでは自分でメタ認知を働かせることができる－自分で自分をナビできる－ようになるには，どういうことが大切でしょうか。

■ 足場を徐々に外す

　第一に，親切なワークシートから，徐々に不親切なワークシートに変えることで，子ども自身が考える場面を増やしていくことが大切です。心理学では「足場かけ」という表現を使います。難しい課題に取り組む際には，そこに到達しやすいように，最初に足場をかけてやります。しかしその足場は，徐々にはずしていかなければなりません。

■ 教師自身がモデルに

　第二に，教師自身がモデルになって，メタ認知の働かせ方を見せることです。「ん，なんか変だな？」「ま，いいか」「あれ？　見直そう」「ややこしいな，書いてみようか」などなど，モニタリングやコントロールをあえて声に出しながら（声に出さなければ，生徒には先生の思考が見えませんから），考える姿を見せてください。

■ 振り返りを忘れずに

　第三に，自分が問題に取り組んだら，その過程や結果を振り返って，どう考えたのか，何が良かったのか，何がまずかったのか，どう考えたらよかったのか，などを言葉にしてみることです。これを「教訓帰納」と言います。問題がいったん解決できたら（その正誤は別にして），自分の解き方を振り返る余裕が少し生まれます。そこでメタ認知を働かせる練習をするわけです。最初は難しいので，適切な振り返りができているかどうか，先生が見取ってあげることが大切です。このときの先生の見取りや支援は，いわば，「メタ・メタ認知」になっているわけです。

■ 友だちのメタ認知を代行する

　第四に，友だちのメタ認知の代行をするような活動を設定することです。3－4で紹介した作文の推敲以外にも，例えば算数で解き方を間違えている例を先生が提示して，どこを間違えているのか考えさせるといった学習は，その一例です。通常は「メタ認知を働かせながら問題を解く」という2つのことが求められます。しかしこの学習ではモニタリングに専念すればよいわけですから，それだけモニタリングの練習がやりやすくなります。

第3章 メタ認知について…考えた

■ メタ認知的な知識を教える

最後に，モニタリングやコントロールに必要な，メタ認知的な知識を教えることです。児童生徒は意外と，自分たちの頭がどう働くのかとか，ある課題では何が求められているのか，という知識を持っていません。

ある高校の先生からこう言われたことがあります。「再テストすると，最初のテストの答だけを丸暗記してくる生徒がいるんですよ。最初のテストと再テストでは問題が違うということがわかっていないんです…」。これほど極端な例ではないにせよ，「時間がたつと忘れるから，しっかりノートとらないといけない」とか，「難しい問題は簡単な問題よりも時間がかかる」とか，「覚えようと思ったら，ただ見ているだけでなく，手を動かして書くほうがいい」とか，「覚えたつもりでも記憶できていないことがあるから，自分でテストしてみるいい」といった，大人には当たり前のことが意識されていない児童生徒は多いと思います。「これくらいわかっているだろう」と思わずに（大人には当たり前すぎて，こう思うことすら少ないかもしれませんが），積極的に教えることが必要です。3－4でS先生が構成メモや意見文の評価規準を児童に示したのは，その点で大切なことでした。

☞ ツボ

> 教師がいつまでも児童生徒のメタ認知を代行し続けることはできない。またそれは，自己学習力をつけるという教育の目的に反することでもある。モニタリングやコントロールの力をつけることを意識して，必要な知識を教えたり，モニタリングやコントロールの練習を工夫したりしながら，徐々に足場をはずしていこう。

☞ 近くのツボ

> 自己調整学習については2－4でも触れています。教師自身が見本を示すことについては，6－4で詳しく述べています。また教訓帰納については，5－3で詳しく述べています。

第4章
動物に教わって…考えた

　心理学の中に「学習心理学」という分野があります。どんな研究をしていると思いますか？　当然，学校での学習に役立つことがたくさん研究されていると考えるでしょう。もしあなたが，大学の「学習心理学」研究室を訪ねたら，きっと驚くと思います。多くの研究室で，ラットやハトが飼育されているのですから！

　ヒトも含めて，動物が環境に適応して生きていくためには，経験から学んでいかなければなりません。心理学で「学習」という場合,「学校での勉強」に限らず，こうした広い意味の学習を指します。そして学習を「経験に基づく長期的な変化」と捉えます。

　心理学ではこうした学習の過程を，動物を使った研究で明らかにしてきました。そこから「学校での学習」に役立つヒントが引き出せないか，考えました。

4-1 繰り返しは王道か？

　私たちが何かを覚えようとするとき，よく，何度も声に出したり書いたりして覚える，という方法を使います。いわゆる「反復練習」や「繰り返し」，2－3で触れた「反復方略」です。その原点は意外なところにありました。

■ あの有名な「パブロフの犬」

　学習心理学の古典的な研究を紹介しましょう。「パブロフの犬」と呼ばれる実験です。ロシアの大脳生理学者イワン・パブロフは，20世紀のはじめに，犬にこんな実験を行いました。犬に餌をやる前に，メトロノームの音を聞かせたのです。餌を口にした犬の口からは，当然，唾液が分泌されます。ところが，この「音→餌」という手続きを繰り返すにつれて，犬はメトロノームの音を聞いただけで，唾液を分泌するようになりました。

　この実験は有名ですから，「パブロフの犬」という言葉を聞いたことのある人は多いと思います。「えっ，あれが学習?!」と思われた方もいるかもしれません。犬は自分の経験から，音→餌という結びつきを学習したと言えるでしょう。犬にとっては，メトロノームの「カッチ，カッチ」という音が，「もうすぐ餌が来るぞ」という予告信号になったのです。

　もちろん，「メトロノームを鳴らしてから餌」という手続きを1回だけ経験しても，条件反射は起こりません。1回だけだと，餌の前に偶然音が鳴ったのかもしれず，それが餌の合図であると意味づけることは無理があるからです。けれども何度も手続きを繰り返すうちに，音→餌という結びつきがハッキリしてきます。次第に唾液の量も増えていきます。反復回数が増えるにつれて，学習が確実になっていったのです。

■ 反復が大切

　この古典的な研究を出発点として，その後の長い間，学習は反復の回数によって決まると考えられていました。

確かに漢字や計算のような基礎的なスキルは，繰り返して覚える（覚えさせる，定着を図る）という指導が行き渡っています。100マス計算などのドリル練習では，繰り返しただけ計算は速くなっていきますから，それによってやる気やチャレンジ精神が刺激されるということもあるでしょう。

けれども反復練習がすべての学習の基本だと思うと，落とし穴が待っています。

■ 反復の落とし穴―繰り返しても覚えられない

ものによっては，何度繰り返してもなかなか覚えられない，学習できない，ということがあります。どんなものでしょうか。それは，学習者本人にとって覚える必要がないものです。例えば硬貨や紙幣のデザインを覚えていますか？　ためしに描いてみてください。描けないでしょう。でも大丈夫。そんなもの覚えていなくても，何にも困らないからです。覚える必要がないと判断したら，人はそうした対象にはほとんど注意を払いません。授業で先生が口やかましく繰り返しても，子どもの方で「そんなん，関係ないもん」「知らなくたって平気だもん」と考えたら，おしまいです。

もう1つは，大切なことであっても，本人が理解できていない内容です。例えば，わり算の筆算。図をご覧ください。手順としては，「（商を）たてる」「（商と割る数を）かける」「（かけ算の答を割られる数から）ひく」「（残りの桁の数値を）おろす」の繰り返しです。いつの頃からか，これを略して「たて・かけ・ひく・お君と仲良しになろう」というキャッチフレーズ（合い言葉）で練習をする授業を見かけるようになりました。児童は1つ1つの手順の意味，例えば「かけた21は，本当は210という意味だ」といったことがわかっているのでしょうか？　なんだかナビの命ずるままに右往左往しながら目的地にたどり着いているだけで，道順は覚えていない，あるいは頭の中に地図ができていない状態に似ているような気がします。

第4章 動物に教わって…考えた

同じようにキャッチフレーズ（合い言葉）で学習するのが，距離（道のり），速さ，時間の計算です。

距離＝速さ×時間　　速さ＝距離÷時間　　時間＝距離÷速さ

と，3つの別々の公式を暗記しなければならないと思っている児童が（先生も?!）いるのではないでしょうか。教科書でも3つ別々の公式として扱われています。

そこで，これら3つの公式を覚えるのに使われるのが「テントウムシ」。図を見てください。テントウムシの背中を上から眺めた格好に似ています。速さを求めるときは「は」を指で隠すと，「距離÷時間（き／じ）」という式が浮き上がってきます。時間を求めるときは「じ」を隠すと，「距離÷速さ（き／は）」という式が見えます。

■ 反復の落とし穴－覚えてもすぐに忘れる

確かに反復回数を増やせば，こうした合い言葉を何とか学習できて，筆算も，距離・速さ・時間の計算もできるようになるでしょう。しかし次の落とし穴が待っています。それは先生方なら誰しも経験されることです。「やっと覚えたのに，ちょっと時間がたつと，もう忘れてしまっている！」意味理解を伴わずに詰め込んだ事柄は，じきに頭の中で混乱し始めます。

そう，本人に理解できない事柄や，重要さがわからない事柄は，そもそも学習することが難しいし，無理に覚えても，すぐに忘れてしまうのです。とすると，どれくらい繰り返し教えたかという外側の条件ではなく，本人がどれくらい重要性を感じ，頭を働かせて理解できたかといった学習者の内側の条件が学習を決める，と言えるでしょう。計算であれば，手続きに習熟するするだけでなく，手続きの背景にある意味を理解してほしいと思います。

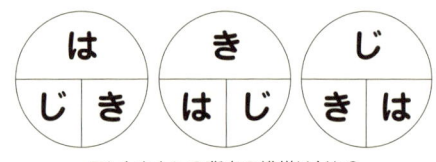

テントウムシの背中の模様はどれ？

■ 反復の落とし穴－身についた技能も，適用範囲が狭い

意味理解につながる学習をせずに，計算手続きに習熟するだけでは，例えば全

国学力・学習状況調査のB問題（あるいはA問題の一部）や，PISA調査などには，手も足も出ません。反復することで定型的な技能が身についても，その適用範囲は狭いのです。

■ 反復の落とし穴－困った学習観につながる

また反復練習を繰り返すことにより，「学習とは繰り返すことだ，暗記することだ」「条件反射的に速く答を出せることがよいことだ」という学習観を身につけるのではないか，ということも私は心配しています。

このことは小学校中学年くらいまではあまり影響しないかもしれません。しかし高学年以降，学習内容が高度になったり，抽象的な思考が求められるようになったり，多種多様な教科の学習に自分で工夫して取り組むことが求められるようになったりすると，こうした学習観に基づく丸暗記中心の学習方法では頭打ちになる可能性が高いのです。実際，ベネッセ教育総合研究所の調査によると，「上手な勉強の仕方がわからない」という小学校4年生は34.4%です。これが6年生では42.9%になり，中学1年生では64.5%と急増しています。

ツボ

繰り返し練習をすれば，その回数に応じて学習が確実になることはある。しかし，繰り返しだけに頼っていては，短期的な成果しか期待できない。具体物操作に戻ったり，未習の相手に説明するといった機会を設けて，手続きとその意味（理屈）をしっかり繋ぎ留めることが大切だ。

近くのツボ

計算はできるけれど，どうしてその手順でよいかという意味理解ができていないケースを，7－4で紹介しています。反復練習に代表される非認知主義的学習観については2－5で取り上げています。

4-2 やはり繰り返しは大切だ。けれども…

4-1で述べたように，反復練習に頼った学習には限界があります。とはいうものの，一回で学習できる事柄というのはそう多くはありません。自分の人生を振り返ってみてください。たった一回の経験で「はっ！」とばかりに大切なことに気づいて，それ以来，自分は変わった…ということがありますか？　もしかしたらあるかもしれません。けれどそう多くはないはずです。第一そんなにしょっちゅう，「はっ！」としていられません。

質も量も大切

そう考えると，やはり繰り返しは大切，ということになります。もう少し一般的に言うと，「学習量」の効果は侮れないということです。けれどその一方で，学習の質，勉強の方法，繰り返しの中身が大切だということも忘れないでください。学習の成果は質×量のかけ算。質・量のどちらか一方がゼロになれば，成果もゼロです。

中学生の個別指導をしている方から，中学2年生の女子生徒のケースについてお話をうかがいました。この生徒は，成績が下がってきたのでがんばって問題集を繰り返し解くのだけれど，なかなか成果が上がらない。よくよく聞いてみると，繰り返し解いているけれど，答合わせはしていなかった！　質×量の質がほとんどゼロに近い状態だったのです。これほど極端ではなくても，○×をつけたり正解を書き写すだけで，どうして間違ったのか考えたり，なぜそれが正解なのか確認したりしない，といったケースは少なくありません。

繰り返しに変化を持たせる

それならどういう工夫をすれば，質を伴う繰り返しになるのでしょうか。

同じことを繰り返すと，脳はすぐに飽きてきます。すると，繰り返しに変化を持たせることが1つのポイントと言えます。

小学校の宿題でよく「漢字を50回ずつ書いてきなさい」というのがあります。

小学校3年生が「向」「代」「研」「列」「庭」という5つの漢字を練習するとします。たいていの児童は，まず「向」を50回，次に「代」を50回…という具合に書いていきます。けれどもこれでは2−1で説明した集中学習になってしまいます。次第に注意力が薄れ，字形が乱れたり，ときには間違った字に化けることすら起こります。右に載せたのは，筆者が試しに10数回書いてみたものです。かなり崩れていることがわかります。「漢字練習帳に書いてきなさい」という指示だけですと，こうした練習になる可能性が大きいですね。そこで例えば，それぞれの漢字を10回ずつ書くようなワークシートを作成するという方法が考えられます。「向」を10回，「代」を10回，…と書き取りをして，これを5セット繰り返すわけです。

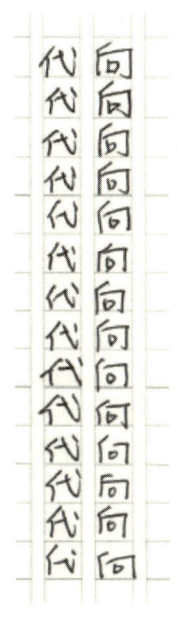

■ 繰り返しにひねりを加える

　基本的には同じ内容を扱いながら，ちょっと違った角度から学び直すとか，ちょっと難しい課題に挑戦する，といったひねりを加えた反復も有効でしょう。

　漢字なら，国語の教科書に「漢字の広場」や「漢字の部屋」といったコーナーがあり，既習の漢字について，少しひねった学び直しのヒントが得られます。例えば1つ1つの漢字の練習だけでなく，その漢字を使った熟語を探すとか，字形の似た漢字（例えば「向」と「何」，「石」と「右」）で形の違いを見つけさせるといった課題が考えられます。

　漢字と同じく繰り返し練習が強調されるのが，計算問題です。もちろん九九が暗唱できることは大切です。しかしそれだけでは，本当に「暗唱」だけで終わってしまい，数量的な考え方の理解には至りません。九九表をよく見て計算の規則に気づかせ，その上で「10のだん」「11のだん」「12のだん」…と，ずっと先まで考える，といった課題も考えられます。

　理科や社会ではどうでしょうか。教科書に書かれていることを，他の資料にあたって確認する，といった活動が考えられます。学ぶ内容は一緒ですが，2つの資料（テクスト）を比べて同じ内容だと判断するには，注意深い読みと理解が求められます。複数の資料にあたるという作業は，メディア情報について正しく判

第4章 動物に教わって…考えた

断する力（メディア・リテラシー）を養うためにも，習慣化したいことです。
　ひねりを加えた反復は，家庭学習でも可能です。例えば問題集を解いて答合わせをします。そのとき間違えた問題を見直すだけではなく，似たような問題を探し出して，解いてみるのです。

ツボ

単純な反復練習を続けると，すぐに集中力が途切れたり，頭を使わずに作業を繰り返すだけになりやすい。そうならないためには，分散学習の発想を取り入れたり，ひねりを加えた反復学習を工夫することが必要だ。

近くのツボ

ここで紹介した中2女子のケースは，5－3，6－3，12－3でも触れています。いろいろと示唆に富む事例です。繰り返しに変化やひねりを加えることは，2－1で紹介した分散学習の一種とも言えます。

4-3 何を合図に，どう行動するか

　学習心理学ではよく，ハトを使って図のような実験を行います。小さな箱のような実験装置の中にハトを入れます。箱の一部にライトが取り付けられています。そして，ライトが点灯したときに，それをくちばしでつつくと，エサがもらえる仕組みになっています。ハトは最初は，偶然にライトをつついて，エサをもらいます。ハトはそのうち次第にその仕組みを学習し，頻繁にライトをつつくようになります。

どうすれば良い結果が得られるかを学ぶ

　この学習プロセスは，次のように表現できます。

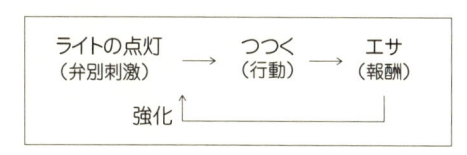

```
ライトの点灯    →   つつく   →   エサ
（弁別刺激）        （行動）      （報酬）
      強化 ←─────────────────────┘
```

　点灯しているライトを「弁別刺激」と呼びます。ハトは弁別刺激を手がかりに，どういう場面で（ライトが点灯しているという場面で），どう行動すれば（ライトをつつけば），どういう良い結果＝報酬になるか（エサがもらえる），ということを学習しているのです。そしてエサがもらえると，「ライトが点灯していれば，つつく」という行動が次第に強められます。これを「強化」と呼びます。

　さて，この枠組みで児童生徒の行動を見ると，すっきり理解できることがたくさんあります。ポイントは「弁別刺激」と「報酬」です。

第4章 動物に教わって…考えた

■ 授業の準備，きちんとできる児童とできない（しない）児童

例えば小学校の授業。始業のチャイムが鳴れば教科書を机上に出す児童（Aさん）もいれば，他の児童がみんな教科書を出したのを見てやっと教科書を出す児童（Bさん）もいます。なかには「Cさん，教科書は！」と教師に言われて，やっと教科書を出す児童もいます。3人とも「教科書を出す」という行動をしているわけですが，そのきっかけになる弁別刺激が違うのです。Aさんではチャイム，Bさんでは他の児童の様子，そしてCさんでは自分に向けられた言葉が弁別刺激になって，「教科書を出す」という行動をしています。

教師からすると，CさんはせめてBさんのようになってほしい，BさんはAさんのようになってほしいところです。しかし，そうならない。それはもしかしたら，BさんやCさんのような行動でも，報酬が与えられているからかもしれません。例えば全員が教科書を出し終えたところで，先生がこう言います。「はい，みんな準備できたね！」先生から褒められることは，児童には報酬になります。これを繰り返すことで，BさんやCさんは，「遅れて準備しても褒められるんだ」ということを学んでしまったのです。

■ 立ち歩きを教師が強化していないか

もう一例あげましょう。クラスの中で，授業中にふらふら立ち歩く児童がいます。ある教育実習の授業でも，こうした場面が見られました。実習生はこの児童が席に戻ったところで，丁寧に，「ちゃんと座れたね」と褒めていました。しかししばらくすると，また立ち歩き始めました。授業のあとの検討会では，「この児童が席に戻ってきたことをきちんと認めてあげていた」と，実習生の対応が評価されていました。

教師に褒められることが，この児童には報酬になっていると考えてみましょう。この児童からすると，「授業という場面で（弁別刺激），立ち歩いて戻ってくると（行動），褒められる（報酬）」という経験を重ねているわけです。ですから教師の意図とは逆に，教師の言葉がけは，「立ち歩いて戻ってくる」という行動を強化してきた可能性があります。そうではなく，席を離れる前に，「落ち着いてきちんと座れているね」と褒めてはどうでしょうか。

人は，「どういう場面で，どうすれば，良い結果が得られるか」ということを経験から学び，そのパタンを身につけていきます。それは自分が置かれた環境に

4-3 何を合図に, どう行動するか

適応するために必要なことです。大人から見て望ましくない行動も, この枠組みで理解できます。周囲の人が知らず知らずのうちに, 望ましくない行動に報酬を与え, その行動を強化しているのかもしれません。

ツボ

好ましい行動も好ましくない行動も,「弁別刺激」と「報酬」という視点で捉えると, 理解できることが多い。児童生徒が好ましくない行動をしているときには, そうした行動が強化されていないか（教師自身が強化している可能性も含めて）, 振り返ることが大切だ。

近くのツボ

授業に臨む態度だけでなく, 問題を解いたり考える方法などについても,「弁別刺激」や「報酬」で理解できることがあります。4－4や4－5で詳しく考えますし, 12－2でも取り上げています。

4-4 これも弁別刺激

> **問** 赤いテープと白いテープがあります。赤いテープの長さは，210cmです。赤いテープの長さは，白いテープの長さの6倍です。白いテープの長さは何cmでしょう。答を求める式を選びなさい。
> ① 210＋6 ② 210－6 ③ 210×6 ④ 210÷6 ⑤ 6÷210

「特定の課題に関する調査」や「全国学力・学習状況調査」などで，繰り返し出題されてきた問題です。学年に応じて「6倍」とか「0.6倍」などと表現されますが，いずれにせよ，正答率が低いことには変わりありません。例えば平成17年度の「特定の課題に関する調査」での正答率は，小学校4年生が33％，5年生が28％，6年生が24％でした。

■ 何を手がかりに解いているのか

問題文中では「倍」というキーワードが出てきますが，必要な計算はわり算です。この問題に間違える児童の多くは，正答の④ではなく，③を選びます。③を選んだ児童にとっては，問題文中の「倍」が弁別刺激となり，「『倍』が出てきたらかけ算」という判断をしたのでしょう。

こうした児童はいつの間にか，「問題文中に『倍』という弁別刺激があれば，かけ算をする。そうすると，正解になる」ということを学習してしまったのでしょう。もちろん，これでうまくいく場合もあります。例えば

> **問** 赤いテープは210cmです。白いテープの長さは，赤いテープの長さの6倍です。白いテープは何cmでしょう。

のように，問題文の表現（<u>倍</u>）と計算（210<u>×</u>6）が一致する場合です。

■ 速いことはいいことだ？

小学校の先生方にうかがうと，やはり，「倍」という言葉があれば，すぐに「かけ算」だとしてしまう児童は多いようです。それ以外にも，

▶わり算をしてみて、割り切れていれば正しい答だと判断してしまう。
▶式のみで考えようとし、図や絵などを用いて解こうとしない。

といった児童の様子を教えてくれました。どうも子どもたちの中に「速いことはいいことだ」「時間をかけるのは良くない」という意識があるようです。速く計算するには、弁別刺激をすばやく見つけて、他の言葉には目もくれずに計算すればよい、というわけです。

授業やテストが伝えるメッセージ

児童はこうしたことを、どこで学習したのでしょう。教室で学習したに違いありません。また、もしかしたら、家庭でいつも「はやく！　はやく！」とせかされることも、1つの原因かもしれません。

算数では1つの問題を解くのにさまざまな方法が使えます。その一方で授業では、さまざまな方法の中から一番良い方法はどれかを考えるという活動が、しばしば仕組まれます。例えば小学校1年生で、

> **問題** どんぐりが13こ あります。9こ つかいました。どんぐりは、なんこ のこって いますか。
> （東京書籍『あたらしいさんすう1』、p.107）

という問題を考えます。教室で子どもたちは、10個と3個のブロックを並べます。そこからいろいろな方法で9個のブロックを取って、「4」という答を出します。よく見かける取り方（解き方）を図にあげておきます。

先生は「どの解き方が良いかな？」と問いかけます。このとき先生はしばしば、「良い解き方」を考える基準として、「博士」というものを持ち出します。「はやい、かくじつ、せいかく」、その頭文字をとって「はかせ（博士）」です。こうしたことも、もしかしたら教師のねらいとは逆

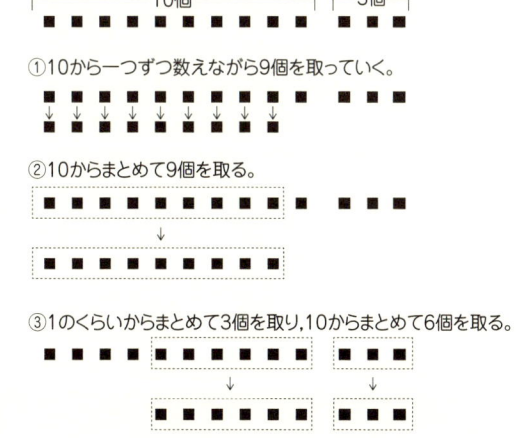

まず13個（10+3）のブロックを並べる。
①10から一つずつ数えながら9個を取っていく。
②10からまとめて9個を取る。
③1のくらいからまとめて3個を取り、10からまとめて6個を取る。

第4章 動物に教わって…考えた

に，「『かくじつ』，『せいかく』よりも，『はやい』が大事」というメッセージを，子どもに伝えているのかもしれません。私の考えすぎでしょうか？

　ある心理学者は，こんなことを言っています。「45分間のテスト時間に20問以上の問題を解かせるというようなテストのやり方が，時間をかけて問題を解く必要はないという暗黙のメッセージを伝えている。そして生徒も，問題をじっくり考える必要はないと考えるようになる」と。

ツボ

> 教科の学習における児童生徒の誤った判断も，弁別刺激と報酬というキーワードで捉えることができる。こうした判断も授業を通じて学習されていることが多い。算数の文章題では，部分的な表現（弁別刺激）に急いで反応するのではなく，問題文全体を理解した上で解き方を考えるということを，学ばなければならない。

近くのツボ

> 「速いことはいいことだ」といった発想は，児童の学習観のあらわれです。学習観については2−5で詳しく取り上げています。また，問題全体を理解した上で解き方を考えるのは，1−5や3−2で取り上げた内容につながります。

4-5 イルカが教えてくれること

　水族館のイルカショーをご覧になったことはありますか？　豪快にジャンプをしたり，テイルウオーク（体を立てて前後に進む動作）をしたりします。こんなことを学習したイルカも偉いが，教えたトレーナーも偉い！　いったいどうやって教えるのでしょうか。

■ トレーナーが使うターゲット

　NHKの「ディープピープル」という番組（2011年8月29日放映）に，3人のトレーナーが出演していました。イルカをトレーニングするのに3人が共通して行っているのは，「ターゲット」と呼ばれる目標物を使い，イルカがそれに触れたらエサを与え，少しずつ目標とする行動を作り上げていく方法だそうです。例えばちょっと頭を上げてターゲットに触れるとエサが与えられます。これを繰り返すことで，頭を上げるという動作を学習します。そしてターゲットを少しずつ高くすることで，次第に頭を高く上げるようになり，最終的にはテイルウオークの姿勢になるわけです。

　4-3で紹介した枠組みで考えてみましょう。ターゲットが弁別刺激になり，頭を上げてターゲットに触れるという動作に対して報酬が与えられているのです。

```
ターゲット  →  触れる  →  エサ
（弁別刺激）    （行動）    （報酬）
       強化 ←――――――――
```

■ 目標までのステップを細かく区切る

　ここには学習の大切なポイントが3つ，示されています。
　第一に，いきなり高い目標を設定するのではなく，目標までのステップを細か

く区切るということです。これを「スモールステップ」と言います。簡単なところから初め，目標へのステップが細かく区切られていますから，それだけ成功の確率が高まります。

　このことは子どもの学習にも－いやいや，大人でも－当てはまります。例えば，跳び箱を練習するのに，いきなり5段から始める人はいないでしょう。最初は1～2段。それも踏み切り方や手の位置など，複雑な動作を細かく分けて練習するのではないでしょうか。そして3段，4段と，徐々に高くしていきます。例えば計算。まず最初は1桁＋1桁，それも繰り上がりのない計算（例：3＋5）から始めます。やがて繰り上がりのある計算，2桁で繰り上がりのない計算，2桁で繰り上がりのある計算…と，次第に難しくしていきます。

■ うまくいったら，そのつどご褒美を

　第二に，うまくできたらそのつどエサが与えられるということです。スモールステップですと，それだけ成功しやすいので，エサをもらえる確率も高まります。こうして報酬をもらえることで，行動が強化されます。

　人間の場合，文字通り「食べ物」をご褒美としてあげる必要はありません。褒めることでもよいですし，あるいは「できたね！」の一言でも嬉しいものです（もっとも，褒められても嬉しくない相手というのもいるものですが）。

■ ご褒美はすぐに

　第三に，こうしたご褒美は，すぐにあげなければ効き目が消えてしまいます。ターゲットにイルカが触れたらすぐにエサを与えるから，ターゲットに触れるという行動が強化されるのです。時間を空けて「さっきは上手にできたね」とエサを与えても，イルカにとっては，どうしてエサをもらえたのか，わかりません。

　人間も同じです。「できたね」「今のやり方でいいんだよ」「上手に考えたね」といった言葉を翌日かけても，子どもは何を褒められているのかわからないでしょう。ご褒美はやる気を高めるだけでなく，どうすれば良いのかという情報を伝えてくれるものでもあるのです。ですから情報としての効き目があるうちに，ご褒美を提供しなければなりません。

4-5 イルカが教えてくれること

> **ツボ**
>
> 複雑な事柄を学ばせるには，目標までのステップを細かく区切ることが大切だ。1ステップをクリアできたら，その都度すぐに，「できたね！」といった言葉をかけよう。こうした一連の学習の積み重ねによって，最初は遠くに思えた目標に次第に近づいていくことができる。

> **近くのツボ**
>
> ここで紹介したのは古典的な原理ですが，学習には不可欠です。そのことを 12－2 で強調します。また，次の 4－6 では，褒める・叱るということを，情報という視点から考え直します。

4-6 褒めたり叱ったりは教えるチャンス

　イルカが難しい動作を学習するときには、ご褒美としてエサを用意します。人間の場合は食べ物を用意する必要はありません。授業で褒められること、周囲の友だちから認めてもらえること、こういったことがとても魅力的な報酬になります。

■ 嬉しくなる褒め言葉

　褒められた側が嬉しくなるには、それなりの褒め方があります。それは、具体的に褒めるということです。例えば、「授業で習ったやり方を生かして解けたね！」「ここのところを工夫したんだね！」「相手にわかりやすい説明ができたね！」と具体的に褒められると、「自分のことをしっかり見てくれているんだ」と嬉しくなります。

　大人でもそうですね。私は論文や著書を発表したら、何人もの人に送ります。するとたいがいメールでこういう返信が返ってきます。「研究の成果をお送りいただき、ありがとうございました。参考にさせていただきます。」もちろん嬉しいのですが、抽象的で、「本当に読んでくれたの？」とちょっと不安な気持ちになることもあります。ところがある方は必ず、「課題設定がおもしろい」とか「言語活動の実践とのつながりが密接だ」などと、具体的に褒めてくれます。こういう返事をもらったときの嬉しさはひとしおです。

　こうした具体的な褒め言葉は、次も同じようにすればいいんだよ、という情報や手がかりを伝えてくれます。どうすればいいか、教えてくれるわけです。それに対して抽象的、表面的な褒め言葉は、どうすればよいのかということをあまりハッキリとは教えてくれません。

叱る場面は教えるチャンス

褒めることに，こうした情報や手がかりが含まれていると考えるなら，その反対にあるのは，叱ったり罰したりすることです。「ダメじゃないか！」「なにやってんだ！」と言われても，じゃあ，どうすればよいのか，ということはわからず仕舞いです。私の自宅の洗面所にはいくつもの籠が置かれています。脱いだ衣類を適当に籠に放り込むと，「そこに入れちゃダメ！」と叱られます。どこに入れたらいいのか，教えてくれよ！

よく「期待しているからこそ叱るんだ」と言われます。そうであるなら，期待している方向に子どもが伸びていくよう叱りましょう。叱る場面は，教えるチャンスでもあるのです。

例えば授業が始まっても教科書が出ていない児童。子どもを丸ごと叱る（「ぐず！」）のではなく，具体的に何ができていないかを伝えることです（「教科書が出てないよ」）。そして具体的な目標を伝えます（「チャイムが鳴ったら，まず，教科書を出そう」）。少しでもできるようになったら，具体的に褒めることです。

もちろん，大声で叱責したり体罰を与えたりするのは御法度です。こうした罰は子どもを萎縮させますし，先生が近くにいるときにはいつもオドオドしているという状態になりかねません。課題に一生懸命取り組んでいる子どもであれば，その課題がうまく解けないとか失敗したということ自体が，その子にとってはすでに「罰」になっているのです。さらに罰を加える必要はないでしょう。

ツボ

褒める言葉も叱る言葉も，相手にどう受け止められるかを考えて使おう。その言葉に，成長や学習につながる具体的なヒントや手がかりなどが含まれているだろうか。自分が児童生徒に日頃かけている言葉を振り返ってみよう。

近くのツボ

褒めたり叱ったりする以外に，教師からの言葉かけが学習のヒントになるということは，3−5でも取り上げています。できるだけ具体的な内容にしなければメッセージが伝わらないということについては，6−2と6−3でも取り上げています。

第5章
学習を生かすということについて…考えた

　第1章で，知識は互いに結びつきネットワークになっているということを強調しました。しかし現実には，1つ1つの学習がその場限りのもので終わり，他の学習とつながったり別の場面で生かされたりしない，ということが多いようです。

　以前学んだことを，いま目の前の問題解決に生かせないとすると，私たちはあらゆる事柄について，すべて一から学んでいかなければならないことになります。それではあまりに効率が悪いし，学習した甲斐がありません。

　けれど同時に，私たちが生きている環境は，日々変わります。習ったのと同じ問題に直面することは，まずありません。ですから，学んだことをそのまま単純に当てはめれば済む場面というのは，多くありません。どうすれば，学んだことを別の場面にも生かせるのか，考えました。

5-1 次に生きる学習を —転移ということ

　学校現場では，基礎・基本を学んで，それをもとに難しい問題に取り組むことを「活用」と呼びます。全国学力・学習状況調査のB問題は，知識・技能の「活用」を問う問題として位置づけられています。さて，心理学には「活用」と似た表現で，「転移」というものがあります。そして次のように捉えられています。

> 学習の転移とは，ある文脈で学習したことを別の新しい文脈で活かすことであり，人が社会に適応して生きていくためには欠かすことができない重要なこころのはたらきである。
>
> （米国学術研究推進会議，2002，p.51）

■ 人間が適応的に生きるのに不可欠な力

　「文脈」というのは，「場面」と言い換えてもよいでしょう。どこかで学んだことが，別の場面でも生かされることです。国語辞典をひくと「転移＝場所が移ること」とあり，例文にはたいてい「ガンが転移する」などとあります。ガンの転移は困った問題ですが，別の場所でも生きること，という意味では同じです。

　また上の説明で，「人が社会に適応して」としている点に注意してください。「子どもが」ではなく「人が」。「学校」ではなく「社会」。そう，転移というのは，人間が適応的に生きていくのに不可欠な力なのです。

■ 学んだことを生かせないと…

　上で述べているのとは正反対のことを想像してみてください。

> ある場面で学習したことを，別の新しい場面で生かすことができない。

例えば子どもが学校で，
- ▶ある問題は解けるようになっても，別の似た問題は解けない。
- ▶理科で習ったことをもとに，日常の自然現象を予想することができない。
- ▶国語で話し方や聞き方，議論の仕方を学んだはずなのに，学級会などでは他人の話を聞けなかったり，建設的な話し合いができない。

あるいは先生方が職場で，
- ▶ミスを何度も繰り返す。
- ▶他教科の研究授業で学んだことを，自分の授業に生かせない。

いずれも，あることを学んだにも関わらず，ちょっと違った場面になると学んだことを生かせないという状態です。転移ができなければ，すべての事柄を一から学ばなければなりません。何かを学ぶということ，学んだことを他の場面に生かすということは，適応的に生きていくための必要条件なのです。

■ 学んだことを生かすのは，実はとても難しい

ところがこれまでの心理学の研究では，子どもでも大人でも，転移が非常に難しいことが指摘されています。算数の問題で具体的に見てみましょう。

> **問題**
> 問1　Xさんが一人で壁を塗ると5日かかります。Yさんが一人で壁を塗ると8日かかります。二人で一緒に壁を塗ると，全部で何日かかるでしょうか。
> 問2　Xさんが一人で壁を塗ると5日かかります。Yさんが一人で壁を塗ると8日かかります。Xさんが一人で2日間働いたあとに，二人で一緒に壁を塗ると，全部で何日かかるでしょうか。

ある研究で大学生に問1を出して解答させ，解説を読ませました。その上で問2を解かせたのですが，正答率は50%程度でした。問1で学んだ解き方が，問2に生かされなかったわけです。

このように，せっかく学んだことが他の場面に生かされない状態を，私は「知識のワンルームマンション状態」と呼んでいます。「知識の製氷皿状態」と呼ぶ人もいます。個別の知識や学習がそれだけで固まってしまい，他の知識や学習と交流し合うことがないのです。

どうすればよいでしょうか……。

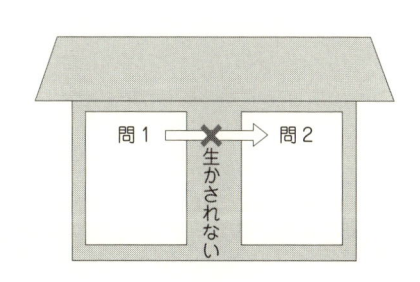

第5章　学習を生かすということについて…考えた

ツボ

ある場面で学習したことを他の場面に生かすことができなければ，学習した甲斐がない。しかし人間は実は，経験を次に生かすことが苦手である。積極的に「生かす」「つなげる」ことを意識した授業計画が必要だ。その秘訣は，次のツボで。

近くのツボ

学校が作成している『家庭学習の手引』で各教科バラバラなアドバイスがされていることを5－6で指摘しています。各教科がワンルームマンション化している兆候でなければよいのですが。

5-2 転移につながる学習

　それではどうすれば，ある場面で学んだことが，他の場面にも生かせるようになるのでしょうか。本書のあちこちで，「考える」「理解する」「説明する」といった活動が，学習を深めることを述べています。実はこうした活動が，他の場面にも生かせるような学習に通じるのです。どういう活動が有効か，改めて整理してみましょう。

■ もとの学習が十分である

　第一に，もとの学習が十分に行われていなければなりません。小学校5年生の理科では「ふりこ」の学習をします。そこでは「ふりこが一往復する時間は何によって決まるのか」というテーマについて，「おもりの重さ」「ふりこの長さ」「ふりこのふれはば」を変えて実験します。そのときいろいろな条件を同時に変えると，何が「ふりこが一往復する時間」に影響するか，わからなくなります。こうして調べたいことを1つだけ変えて，他の条件は変えない，という「実験制御」の基本を学びます。これをしっかり学んでおかないと，6年生になって「つりあいとてこ」で，力点や作用点の位置を変えて手にかかる力の変化を実験をするとき，実験制御の発想をまた一から学ばなければなりません。

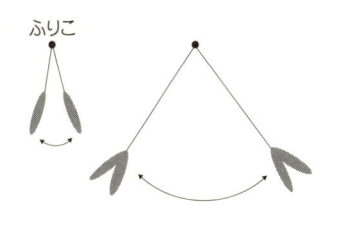

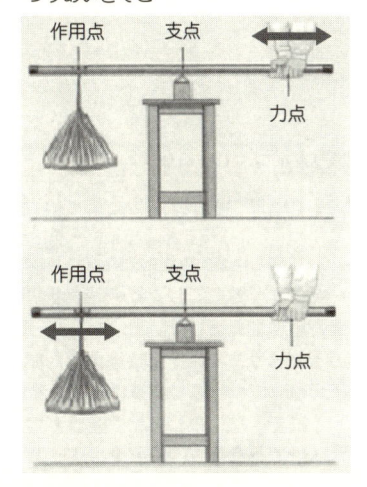

(教育出版『地球となかよし　小学理科6』, p.75)

■ 複数の視点で学び直す

　第二に，1つの事柄をいつも同じパタンで練習するのではなく，同じ内容をいろいろな視点から学び直すことです。これは4−2で述べた，「変化やひねりを加えた反復」にあたります。例えば九九の暗唱を一生懸命すれば，「さんぱ？」と問われると即座に「にじゅうし！」と答えられるようになります。けれどそれで終わりにするのではなく，「24が答になる九九は？」と問うてみましょう。このように同じ内容でも，さまざまな視点から学び直すことで，それだけ柔軟で，いろいろな場面に生かせる知識になります。

■ 内容を深く処理する

　第三に，内容の丸暗記ではなく，内容を理解したり，仕組みを考えたり，因果関係を捉えたり，情報を整理するなど，何らかのかたちで情報を深く処理する学習が必要です。こうした処理を促すために，「複数の資料を比較する」とか，「他の人に説明する」とか，「自分でまとめてみる」といったさまざまな学習活動が考えられます。これらは，2−3で取り上げた「認知方略」です。

　このように意味や理屈を考えることの大切さを，脳科学者の池谷裕二さんは，こう表現しています。

> 丸暗記は覚えた範囲の限られた知識にしか役に立ちません。応用範囲が限られているのです。一方，論理や理屈でものを覚えると，同じ論理が使えるすべてのものごとに活用できます。
> 　　　　　　　　　　　　　　　　　　　　　　　　（池谷，2011，p.229）

　意味や理屈を考えると，生かせる範囲が広がるのです。

■ 教訓を引き出す

　第四に，何かを学んだり問題を解いたりしたら，それで終わりにするのではなく，そこから次の学習に生かせる「教訓」を引き出すことです。これは第三の「理屈を考える」の応用です。単に「正解だった」「間違った」「次はがんばる」「時間が足らなかった」ではなく，「こういう問題のポイントは〜〜だ」「〜〜しないように気をつけよう」と，具体的な教訓が引き出せるとよいですね。

■ 生かそうとする構えを持つ

　第五に，他の場面で学んだことを積極的に生かそうという構えを持つことで

す。こう書くと当たり前のようですが、実はこれは相当難しいことなのです。考えてみてください。これまでたくさんのことを学んだとして、その中のどれが今直面している課題の解決に生かせるか、どうやって判断するのでしょうか。ですからまず最初は教師の側から、「〜〜で勉強した……を思い出してみよう」「そのことが、今度のこの問題に使えないかな？」などと働きかけることが必要です。こうした授業を通して子どもの中に、「学んだことを生かすことが大切だ」という意識を根付かせたいですね。ただし、かなり具体的な手がかりを使わなければ、前の授業を思い出すことはできません。

教員どうしがつながる

　最後に、先生たち同士がつながることも大切です。学習内容によっては、教科を越えて転移することも可能だからです。

　例えば国語と理科。「えっ？」と思うかもしれません。けれど理科の教科書の記述そのものは、国語科で学ぶ「説明的な文章」の一例と言えます。理科の教科書中の図表は、非連続型テキストです。そうであるなら、国語での読解と理科の学習、国語でのノート指導と理科でのノート指導、国語での作文と理科のレポート課題、これらを互いに結びつけて生かすことも十分考えられます。

　また、第2章で取り上げたさまざまな学習方法（方略）の中には、特定の教科に限らず、いろいろな教科で使えるものがあります。「自分のノートを作る」「付箋などの物を利用する」「わからなければ他者に聞く」などです。ある教科でこういう方法を使ってうまくいけば、その方法は別の教科にも転移するでしょう。

　ある場面で学んだAが、別の場面のBに生かせるということは、AとBの間につながりができるということにもなります。転移を可能にする学習は、知識のつながり（ネットワーク）を豊かにする学習でもあります。

> **ツボ**
>
> 漫然とした学習，漫然とした授業では，転移は期待できない。もとの学習が定着していること，次に生かせる理屈や教訓を引き出すこと，次に生かそうという積極的な構えを持つこと，こうしたことを教師が意識して授業を構想しなければならない。

> **近くのツボ**
>
> ここで取り上げた第四の点については，この後5－3で詳しく取り上げます。また第五の点は，同じくこの後の5－4で詳しく取り上げます。

5-3 経験から教訓を引き出す

　読売新聞（2010年8月3日）に、「総合学習は息抜き？」と題した記事が掲載されていました。

　　6月25日の昼下がり、東京・下町の区立中学校。午前中の数学や英語の授業で疲れていた3年の男子生徒（14）は、教室の時間割で午後の授業が総合的な学習の時間（総合）だと確かめると、「ちょっと一息つけるな」と、思った。
　　総合の授業内容は、少し前にあった中間テストの「反省会」だった。生徒たちは「勉強不足だった」「単純ミスが多かった」などと書いた用紙を先生に渡し、後は雑談した。

　この生徒たち、おそらく期末テストでも、そして2学期でも、「勉強不足だった」「単純ミスが多かった」と反省し続けるのではないかと、ちょっと心配になります。どんな視点でテストを振り返ると、次に生かせるでしょうか。

■ 教訓帰納という学習方法

　テストに限らず日頃の勉強でも、「どうして間違えたのか」「次はどうすればよいか」「この問題がうまく解けたのはなぜか」などと自分の学習のプロセスを振り返ることは、「教訓帰納」と呼ばれる上手な学習方法です。教育心理学者の植阪友理さんは、この方法を積極的に取り入れることで学習状況が改善した中学2年生女子の事例を報告しています。この生徒は成績が下がったので何とかしようと焦るのですが、たくさんの問題は解くものの、解きっぱなしで見直すことをしないという状態でした。そこで植阪さんは、数学の問題を解いたあとで必ず振り返り、「なぜミスをしたのか」「この問題のポイントは何か」といった具体的な教訓や、「定義に立ち返って考える」「図や表を書いて考える」といった学習方法に関する教訓を引き出すよう指導をしました。やがて生徒は数学以外の教科でも自主的に教訓帰納を行うようになり、定期試験の成績にも成果が現れたのです。

第5章 学習を生かすということについて…考えた

🔲 授業の「振り返り」，4つのポイント

　日頃の授業でも，最後に「本時の感想」や「本時のまとめ」を書かせるなど，学習を振り返る機会を設けている先生は多いと思います。教訓帰納の研究や実践例を参考にすると，こうした振り返りを行うときのポイントが4つ見えてきます。

　第一に，「勉強不足だったから解けなかった」とか「がんばったので解けた」といったおおざっぱな振り返りでは意味がありません。次に生かせるような具体的な振り返り，例えば「(算数の問題で)いろいろな単位が混ざっているときは，1つの単位に揃える」といった振り返りができれば，次に生かせる教訓となります。

　第二に，子ども自身から適切な教訓がいつも引き出されるとは限りません。例えば，「3cmは30mmに置き換える」のように，あまりに具体的すぎると，その問題限定の教訓になってしまいます。先生が内容を確認して，良い教訓をクラス全体に紹介して共有するなどの取り組みが大切です。他の子どもの教訓でも，自分に当てはまることであるなら，次から生かせます。また，どういう教訓が良い教訓かという学習にもなります。

　第三に，教訓には，特定の教科の内容に関わる教訓と，いろいろな教科に役立つ教訓があります。前者は例えば，「計算のときにはカッコに気をつける」といった教訓です。後者は例えば「曖昧な言葉や難しい言葉は，教科書で意味を確認する」といった学習方法に関わる教訓です。問題を解いたあとに教訓帰納を促すと，どうしても問題の内容に焦点を当てた教訓が引き出されがちです。しかし教訓をできるだけ多くの場面に生かすためには，学習方法に視点を向けさせることも大切です。

　第四に，自分の失敗と向き合うのは，かなり辛いことです。不出来なテストを見返したくない気持ちはよくわかります。高校生を対象に勉強で成功した経験や失敗した経験を思い出してもらってその理由を考えてもらったところ，成功経験

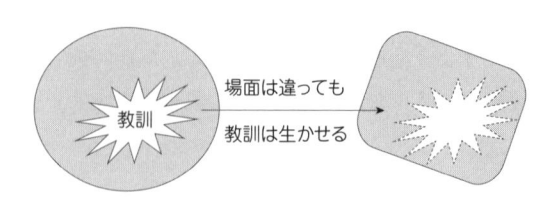

の理由を考えた方が，勉強に対する自信が高まったという研究もあります。失敗というのは，「○○したら良くなかった」ということです。ですから「○○が良くない」ことはわかっても，ではどうすればよいかは教えてくれません。これと成功をペアにすることで，どうすればよいか，適切な教訓がつかみやすくなるのです。

■ 教科書の中の「算数マイノート」で振り返る

　実は教科書には，こうした教訓帰納につながるコーナーも設けられています。東京書籍の算数では「学びの記録 算数マイノートをつくろう」として，

- ▶ノートには，学習した日，問題，自分の考え，友だちの考え，まとめ，学習感想，などを書きましょう。
- ▶学習感想には，今日の授業でわかったこと，気がついたこと，次に考えてみたいこと，友だちの考えをきいて思ったこと，などを書きます。

(東京書籍『新しい算数4上』, p.28)

と示されています。この「学習感想」が教訓帰納につながります。

　けれども，先ほど述べたポイントに照らすと，注意が必要です。ここに示したような感想ですと，何を書いてもよいように受け取られるかもしれません。「次に生かせる教訓」という観点から，感想の焦点を決めたり，先生がチェックしたり，良い教訓はクラス全体で共有するなどの取り組みが必要でしょう。この点では，学習塾によるノート指導の中に，うまい事例があります。ある教室では算数の問題を解いたら，「問題」「解法」「間違えた理由」「ポイント」をノート1頁にまとめるよう指導しています。さらに理由とポイントは具体的に書くこと，適切に書けているかときどき先生のチェックを受けることを勧めています。

　また「算数マイノート」のコーナーは，すべての単元に添えられているわけではありません。けれども1つの単元でこういう振り返りをしただけでは，教訓帰納という学び方は身につきません。1年間の学習を通して，あちこちの単元で教訓帰納を取り入れることで，次に生かせる的確な振り返りの姿勢が育つことでしょう。

第 5 章　学習を生かすということについて…考えた

> **ツボ**
>
> 授業の最後の振り返りは，その日の学習から次に生かせる教訓を引き出すチャンスだ。けれども漫然と「今日わかったことやがんばったことを書きましょう」と指示しても，良い教訓は引き出せない。具体的に振り返ったり，良い教訓をクラスで共有したりするといった工夫を，多くの単元で繰り返すことが大切だ。

> **近くのツボ**
>
> ここで紹介した中2女子の事例は，4－2, 6－3, 12－3 でも取り上げています。

5-4 思い出せるかな？

「前の時間は〜〜ということをやりました。覚えていますか？」授業の最初に先生方がよくなげかける発問です。指導案を見せてもらうと，「前時の内容を想起させ，おさえる」と書かれています。

何年も前の学習を思い出させることもあります。中学校理科の教科書を開くと，「思い出そう」とか「思い出してみよう」というマークが所々についています。例えば，中1で「葉・茎・根のつくりと働き」を学ぶところには，「植物の体のつくりと働きについては，小学校の第6学年での学習を思い出そう」とあります。同じく中1で「光の反射・屈折」を学ぶところでは「思い出してみよう 光はまっすぐに進む」などと書かれています。

既習の内容を思い出すことは，それを新たな学習に生かすための第一歩です。「思い出そう」「覚えていますか？」，こう問いかけられて，首をひねる，少しは思い出せる，詳しく覚えている，…いろいろな児童生徒がいます。

■ 授業内容は知識ではなく思い出

授業で習ったばかりの内容は，児童生徒の頭の中ではまだ知識として定着していません。むしろ前の時間の「思い出」といった方がよいでしょう。「前の時間にこんな問題を解いたな」「手遊びして叱られたな」「友だちの○○君が，前に出て説明していた」「先生が大きな円柱を置いて説明したな」…といったエピソードが，頭の中にごちゃごちゃに詰まっていたり，その一部はすでに薄れかけている状態なのです。ですからテストをすると，みんな一生懸命に，授業で何があったかを思い出そうとします。

ニュージーランドで行われた研究を紹介しましょう。9〜12歳の児童生徒が理科や社会の授業を受け，その直後と1年後に，授業内容についてテストされました。さらにテスト

のあとに、もう一度問題を見せられて、どう答えたのか、どうしてそう考えたのか、研究者からの質問に答えるかたちで説明しました。10歳のジャンは、温度計の中に入っているのが「水銀」だと、正しく解答できていました。そのときの会話です。

> 研究者「そのことを、どこで勉強したの？」
> ジャン「去年B先生が、水銀って何か知っている人はいないか？って、聞いたんだ。そしたらトニーが手をあげて答えたんだ…あ、違う！　…B先生は、温度計に入っているのは何でしょう？って聞いたんだ。でトニーが手をあげて、水銀ですって。それが正解だったから、覚えていたんだ」
> 　　　　　　　　　　　　　　　　　　　　　（Nuthall & Alton-Lee, 1995, p.195）

　この研究に参加した児童生徒の多くは、こういう具合に、授業中の様子を具体的に思い出しながら考えたり解答していました。しかも正解だった場合には不正解だった場合に比べて、こうした具体的なエピソードをたくさん思い出していたのです。

　大学生を対象とした研究でも、授業の様子をたくさん具体的に思い出せた人ほど、テストの成績も優れているという結果が得られています。

■ 思い出すには手がかりが必要

　さて、私たち大人の「思い出」を考えてみましょう。子どもの頃の思い出、あるいは去年の夏の思い出など、思い出せますか？　思い出せなくても、例えば写真を見たり、そのとき一緒にいた人の話を聞いたりすると、芋づる式に思い出せるということがあるでしょう。

　すると、こうした手がかりを使うということが、何かを思い出すには有効だと言えます。「覚えていますか？」と問うだけでなく、手がかりを一緒に示してやれば、首をひねる児童も減るし、少ししか思い出せなかった児童も「あ！　そうだった！」と思い出せることが増えるはずです。

　ではどんなことが、思い出す手がかりになるのでしょうか。授業で使ったワークシートやノートや教科書、ブロックなどの教具。こうした「物」はもちろん有効な手がかりになります。

　けれども児童が前の授業で、先生や友だちの話をぼんやり聞くだけだったり、あるいは教具のブロックで遊んでいたなら、こうした物をもう一度見ても、授業内容は思い出せないでしょう。前の授業で児童自身が集中し、課題に意欲的に取

り組み，積極的に考えたり，自分の考えを友だちに説明していることが大切です。そうしたことがあって初めて，授業の豊かな記憶が作られますし，授業で使った「物」が，自分が考えたこと，友だちと議論したこと，学習した内容を思い出す手がかりとなるのです。すると今度は自分の考えたことや友だちとのやりとりが手がかりになって，さらに記憶が引き出されます。

　こうして何度も思い出したり，思い出した内容をもとに新しい学習をするということを繰り返すうちに，思い出はやがて知識として定着します。そうすると，いちいち具体的な手がかりを使わなくても思い出せますし，それだけ転移の可能性も高まります。

ツボ

> 単に「思い出しましょう」と声をかけるだけでなく，前の授業で使った教具や，その時間のやりとりを手がかりとして提示することが，学習内容を思い出すには有効だ。ただし児童生徒自身が前時にしっかり学習に取り組み，こうした教具ややりとりが学習と結びついていなければ，それは手がかりにはならない。

近くのツボ

> 教師の指示や発問が，子どもの思考をいまひとつ刺激しない抽象的な表現にとどまっていることを，6-2で指摘しています。手がかりなしに「思い出せるかな」と問いかけることも，子どもには抽象的でピンとこない発問かもしれません。

5-5 教科書を生かす

　ある単元や教材での学習を，別の単元や教材に生かしたい場合があります。そういうときには，教科書の構成を改めて見直しましょう。

■ 簡単な説明文で説明の骨格を学ぶ

　例えば小学校国語。説明的な文章を学ぶときには，たいてい，

　　　はじめ － なか － おわり

という構成を学習します。もう少し中身に踏み込むと，

　　　はじめ　　　－　　なか　　　－　おわり
　　　話題提供　　－　詳しい説明　－　まとめ
　　　疑問の提起　－　詳しい説明　－　疑問に対する答

という構成になっています。

　けれどもいきなり長い説明文で，この構成をつかむのは難しいものです。しかも説明文は物語に比べると，児童生徒には「おもしろくない」と思われがちです。

　こんなときは，もっと短くて，こうした構成が見えやすい文章を教材にしてはどうでしょうか。同じ学年の教科書に短い説明文が載っていることもありますし，前の学年の説明文を借用してもよいと思います。その上で，そこで学んだ構成の捉え方を，長い説明文に生かすのです。ある先生は生徒に，こうして簡単な説明文で学ぶことで，「文章の骨格だけが，レントゲンのように透けて見える眼鏡をかけるんだよ」と説明していました。さらに，こうして学んだ構成は，自分が文章を書くときにも生かせるはずです。

　こう考えると，

▶こういう文章を書けるようになってほしい。

▶ そのためには，[はじめ（疑問）－なか（説明）－おわり（答）] という文章の構成を，この教材文で学ばせよう。
▶ この教材文は長い。長い文章の構成をつかめるために，もっと簡単な説明文を使った学習を，前もって△月頃にやっておこう。

と，年間を通して，目標から逆向きに授業を計画する発想も生まれてきます。

■ 面積の求め方を体積に生かす

算数の例もあげてみましょう。小学校5年生では，図に示すように，少し複雑な立体の体積を求める学習をします。

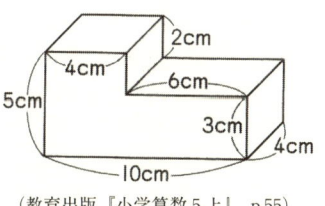

このとき教科書には，いろいろなヒントが載っています。例えば，

▶ 今まで学習したことで使えることはないかな。
▶ 面積で同じような問題を考えたときは，どうしたかな。
▶ このような図形の面積を求めたときには……

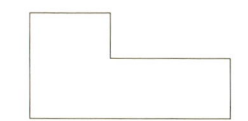

（教育出版『小学算数5上』，p.55）

などと書かれています。このように，前の学年（4年生）で面積の求め方を工夫した学習を思い出して，そこでの工夫を体積の求め方にも生かそう，という構成になっているのです。具体的には，

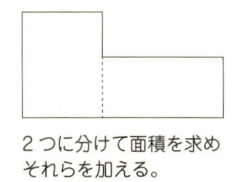

2つに分けて面積を求めそれらを加える。

全体の面積を求めて小さな面積を引く。

という工夫が，体積にも生かせます。つまり，2つに分けて体積を求めて加える，全体の体積を求めて一部を引く，という工夫です。

第5章　学習を生かすということについて…考えた

■ 面積の単元でどういう学習をしておくか

では，体積の学習に生かすためには，面積について，どういう学習をしておくとよいでしょうか。5－2で述べたことと照らし合わせてみましょう。

- ▶ もとの学習が十分に行われている。面積の学習やその基礎になるかけ算の学習に習熟していなければなりません。
- ▶ 情報を深く処理する学習が行われている。面積の公式を丸暗記するだけでなく，どうしてその式で面積が求められるのか考えたり，複雑な図形の面積の求め方を説明したりすることが大切です。
- ▶ 同じ内容をいろいろな視点から学び直す。同じ図形でも複数の解き方を工夫したり，いろいろな図形で学習をすることが大切です。
- ▶ 次の学習に生かせる「教訓」を引き出す。単に「がんばった」や「考えた」ではなく，「複雑な図形は単純な図形に分ける」とか「できるだけ少ない計算で求められる工夫をする」などの教訓が引き出されるとよいですね。
- ▶ 学んだことを積極的に生かそうという構えを持つ。教科書の構成やそこに載っているヒントを生かして，既習事項をもとに考えると考えやすい，という学習を重ねることです。

ツボ

前の学習やこれから先の学習を見通して，学んだことが生かされるような授業を，半年～1年単位で構想することが大切だ。そのためには，教科内容の系統性を教師自身がきちんと把握していることが必要になる。教科書を丁寧に検討すると，そのためのヒントが得られる。

近くのツボ

10－5で児童生徒の計画性を育む方法を考えます。その中に「大きな目標を小さく分けて，ひとつずつ実行していく」という方法を提案しています。これは先生方が長期的な視点で授業の計画を立てるのにも生かせます。

5-6 明日の授業につながる宿題

　あるベテランの先生が「これは自戒ですが」と前置きをして，こう話してくれました。「どうも宿題の出し方ということに，あまり気を配ってこなかった気がします。えてして，授業が時間切れになったから，『じゃあ，残りは宿題』と言ってやらせることが多かったですね。子どもにはあまりおもしろくなく，『やらされ感』から嫌々こなすだけ，ということになっていたのではないでしょうか…。」

　無理もない話ですが，あまり楽しい宿題というものを，私も経験した記憶がありません。「漢字を30回書いてきなさい」と言われると，とにかくマス目を埋めることしか考えません。少しでも速く済まそうと考えた友だちは，「へん」だけを先に30回書いて，あとで「つくり」を30個書き加えていくという荒技を使っていました。授業時間内にできなかった分が宿題になるのなら，「間違ってても，授業中に速く片付ける方が得だ」と考える児童も出てきそうです。

　なんとか，楽しい宿題，明日につながる宿題，次の学習に生かせる宿題，というものがないでしょうか。「つなぐ」「つなげる」をキーワードに，そんな宿題を考えたり探したりしてみました。

■ 学校と家庭をつなぐ

　第一に，学校と家庭をつなぐ。子どもが学校でどんなことを勉強しているのか，家庭に伝わるような宿題はどうでしょうか。例えば，

▶家族の前で国語の音読をさせます。読めない漢字は家族に教わるよう指示します。保護者には「聞きっぱなし」でなく，簡単な感想（コメント）を書いてもらうとよいでしょう。コメントをどう書いていいかわからないという保護者もいますから，学級通信でコメントの例を伝えておきます。

▶学校で習ったことを家族に説明させます。あらかじめ学級通信などで家族に伝えておき，「児童の説明を聞いて，きちんと『ここがわからない』と

か『この説明は良かった』といったコメントを返してやってください」と依頼しておくとよいでしょう。

■ 宿題と授業をつなぐ

第二に，宿題と授業をつなぐ。例えば，
- ▶教科書を読んで予習をさせます。具体的には，わからないところに線を引いたり，質問のかたちで書き出してくるといったいろいろな方法が考えられます。もちろん，次からの授業でこれらが「わかる」ようになることが大切です。
- ▶6年の「比」の学習のあとで（あるいは前に），家庭で「比」を使っているものを探して来させます。これは妙高市立妙高高原南小学校の例です。「めんつゆ」や「お父さんの水割り」といった答が集まったそうです。
- ▶家庭にある外国製品を探して，社会科の材料にします。これは杉並区立堀之内小学校の例です。
- ▶苦手な児童は宿題を出されても，どう手を付けていいかわかりません。そこで授業の最後に宿題の最初の1問だけは全員でやって，考え方，解き方を確認します。こうすれば苦手な児童にもとっかかりができます。

■ 宿題を自己学習力につなげる

第三に，宿題を自己学習力につなげる。私が小学5年生のとき，「自由勉強」という宿題が毎日出ていました。どんなことでもいいから，自分で勉強して，それ専用のノートに書いて提出するのです。最初は何をやっていいかわかりませんから，その日の授業のノートをもう一度そのまま書き写したり，ときには授業で習った言葉を辞書でひいて，そのまま書き写したりしていました。すると先生が赤ペンで「写すだけだと，勉強になりません。自分で考えることが勉強です」。このコメントは，私が初めて「勉強方法」ということを意識するきっかけになりました。

現在の学校でも，このように自由勉強（自主学習）を課すことがあると思います。勉強してきたという事実を評価して◎をつけるだけでなく，そこに現れている行き詰まりを見取ったり，こういう勉強をしてほしいというアドバイスを書き込んでいただきたいと思います。また，自主学習の優れた例を学級通信で紹介することも，学習の仕方を学ぶ機会になります。

『家庭学習の手引』で校内をつなげる

　家庭学習の習慣をつけ自己学習力を育むために，最近の学校では『家庭学習の手引』という冊子を作成して，配布しています。その中身を見てみましょう。小学校では，「学年×10分間（4年生なら40分）」「算数のプリントやドリルをします」など基礎的な学習習慣を強調した記述が目立ちます。「大事なこと，疑問，もっと調べてみたいことなど工夫してノートにまとめましょう」「自分でテストもしてみましょう」といった高度な勉強方法を勧めている記述もありますが，いまひとつ具体性に欠けるため，何をどうすればよいのか十分に伝わりません。

　中学校の『手引』を見ると，教科によって（あるいは担当の先生方の好みによって？）ばらつきが大きいのが気になります。例えば「予習より復習」としている教科があるかと思うと，「予習も復習も」という教科もあります。

　各教科がバラバラだと，生徒は「勉強というのは（頭の使い方というのは），教科ごとに別々なんだ」と考えるかもしれません。すると，ある教科で学んだことを別の教科で生かす（転移させる）という発想にはなかなかなりません。また「自分の言葉でノートをまとめる」とか「少し時間を空けて復習する」とか「間違いから教訓を引き出す」といった，全教科に共通の上手な勉強法を身に付けるチャンスを逃すことにもなりかねません。ぜひ，学年あるいは学校全体で，2－4で述べた「学習方法への意識を」共有してほしいと思います。

ツボ

授業と授業をつなぐ，授業と家庭をつなぐ，自己学習力をつける，という積極的な宿題の在り方を考えてほしい。また宿題や家庭学習の在り方を，学校全体で共有することも大切だ。共有が無理なら，各教科の宿題の実態を紹介し合うだけでも，宿題や家庭学習を見直すきっかけになる。

近くのツボ

説明活動については，7－2と7－3で詳しく取り上げています。また予習については，2－7で取り上げています。『家庭学習の手引』が基礎的な学習習慣に偏っていること，具体的なアドバイスが少ないことについては，2－4でも指摘しています。

第6章
指示・発問・説明について…考えた

　授業を参観していると,「あっ,イタタ…」と感じることがあります。それは先生の指示や発問あるいは説明が,あと少しというところで児童生徒に届いていない場合です。いわば「ツボをほんの少しはずしている」「ツボの手前で止まっている」状態です。

　もちろん先生自身は,その指示や発問で十分通じると思っておられるわけです。けれども児童生徒からすると,ほんの少しだけ具体性に欠けたり,難しすぎたり,曖昧だったり…。すると「んっ?」ということになり,それだけで頭の働きにブレーキがかかってしまいます。

　どんな具合にツボをはずしているのか,どうすればツボにはまるのか,考えてみました。

6-1 教師の発問が思考を方向づける

中学2年生の国語の授業を参観しました。教材は吉野弘の詩『虹の足』。先生は最初に，プロの声優が模範朗読（範読）をしたCDを流しました。

  雨があがって
  雲間から
  乾麺みたいに真直な
  陽射しがたくさん地上に刺さり
  行手に榛名山が見えたころ
  （後略）

    （教育出版『伝え合う言葉 中学国語2』, p.10）

私は「へえ，昔は先生が朗読したもんだけどねぇ。今はこういう便利なのがあるんだぁ」などと考えながら参観していました。

■ 毎回同じCDを…

この先生はCDがお好きなようです。詩だけでなく，短歌や俳句の授業でも，授業の最初には必ずCDの範読を流していました。ところがCDを流すときにこの先生は，「じゃあ聞いてね」というだけなのです。生徒に何も指示をしません。授業に入るウォーミングアップのつもりなのでしょうか？　毎回同じCDを聞かされる生徒からすると，飽きてしまいそうな気がします。ふと，聞いているときの生徒の脳の活動を調べたくなりました。

人間の脳は省エネ志向のところがあります。特に関心がないものを見せられたり，聞かされたりしても，情報が脳を素通りしてしまうことがほとんどです。

■ どんな発問が考えられるだろう

けれども授業であれば，先生の側からいろいろな質問を投げかけたり，聞き方を指示しておくことができます。どういう質問がよいかは，その後の学習活動との兼ね合いで決まるでしょう。私が参観した授業では，範読に続いて，詩に描か

れた情景を絵に表現するという課題が出されました。それなら最初から「情景を想像しながら聞こう」と投げかけておけば，その次の学習活動に生かされたのに，もったいないなあと思いました。

他にも授業の目的によって，

▶繰り返し使われる言葉は何だろう。
▶範読の口調は途中で変わっているだろうか。それともずっと同じ調子だろうか。
▶場面が転換される箇所を探しなさい。

など，いろいろな質問が考えられます。こうした質問を前もって投げかけておくことによって，生徒の脳を活性化させ，授業の目的やねらいに即して脳の働きを方向づけることができるのです。

処理水準説

認知心理学に「処理水準」という考え方があります。これは，

> 学習は，その対象をどれくらい深く処理したかによって，決まる。

というものです。

この考えを示す研究を1つ紹介しましょう。この研究では大学生に，脳の仕組みについて書かれたテキストを読んでもらいました。テキストは16段落から構成されており，段落ごとに質問が挟まれていました。質問には次の3タイプがありました。いずれも3つの選択肢から選ばせる形式です。

質問	①テキストの本文と一字一句同じ文はどれですか。 ②テキストと意味内容が同じ文はどれですか。 ③テキストの内容から判断すると正しいのはどれですか。

実はこれらの質問は，読み手によって異なっていたのです。ある読み手のテキストには，①のタイプの質問ばかり挿入されていました。別の読み手のテキストには②のタイプの質問ばかり，そしてまた別の読み手のテキストには③のタイプの質問ばかり，という仕掛けです。

大学生には翌日もう一度研究室に来てもらい，テキストの内容についてテストを行いました。すると，①より②，②より③のタイプの質問が挟まれたテキストを読んだ人たちの成績が良かったのです。つまり，同じテキストを1回ずつ読ん

第6章 指示・発問・説明について…考えた

だにもかかわらず，頭を使いながら読み進めるほど，成績が良くなったのです。もう一度「処理水準」の考え方を読み直してください。納得していただけるのではないでしょうか。

「しっかり勉強しよう」とか「ちゃんと覚えよう」といった意欲もさることながら，大切なのは，どう処理するか，つまり学習の仕方なのです。しっかり勉強しようと思っても，教科書をただ何度も読むだけのような勉強であれば，効果はあまり期待できません。

なかには，②や③のような質問を自問自答しながら勉強している人もいるかもしれません。「……ってことは，つまり〜〜ということかな」とか，「だとすると，〜〜となるのかな」という具合です。これは相当，高度な頭の使い方です。授業ではこうした方向に思考が向くように，先生が発問を工夫してください。

あるベテランの先生は，こう指摘しています。「発問とは，子どもたちに対して，教師が考えてほしい方向を指すものだ。思考すべき方向を指さす行為だ」と。

ツボ

教師の発問や指示が，児童生徒の思考を方向づける。授業の目的やその後の授業の展開を考えて，適切な発問や指示をすることが大切だ。それがない授業では，児童生徒の脳は，授業を漫然と受け流すだけに終わってしまう。

近くのツボ

人間の脳が省エネ志向だということは，1－4で詳しく述べています。どう勉強するかという問題は，2－3, 2－4, 2－5で「学習方略」として取り上げています。また自問自答しながらテキストを読むことの有効性は，7－2と7－5で取り上げています。望ましい思考に向けてどう児童の頭に働きかけるかというテーマに，学校ぐるみで取り組んでいる事例は，7－6で紹介しています。

6-2 もっとハッキリ具体的に

　6-1の最後で述べたように、発問や指示が「子どもたちに対して、教師が考えてほしい方向を指すもの」であるなら、指の先がブルブル震えていては困ります。ところが、どこを指しているのかわからないような発問や指示を見かけることがあります。

　例えば国語。説明文の授業で「まず○頁の□行目までを、一通り読みなさい」という指示が出されます。そのあとでおもむろに、「初めて知ったことはあったかな？」とか、「もっと知りたいことはあったかな？」などと問われます。それなら最初から、「読みながら、初めて知ったことに、線を引きなさい」「読みながら、もっと知りたいことが出てきたら、印を付けなさい」などと指示してはどうでしょうか。

■ 共有したり意見の違いに気づくには

　教科にかかわらず指導案でよく見かける表現で、こういうのがあります。

▶グループの中で互いに意見を発表し、共有する。
▶グループの中で互いに意見を発表し、意見の違いに気づく。

　先生の指示はたいてい、「順番に自分の意見を発表しましょう」とか「友だちと話し合ってみましょう」です。はたしてそれだけで、共有できたり、互いの違いに気づいたりできるものでしょうか。難しいと思います。とりあえず話し合うことしか指示していないからです。

　私は先生方を対象とした講習会でしばしば、こんな遊びを取り入れます。まず4～6人で小グループを作り、一人一人に付箋を配布します。そして1分間、各自が付箋に「自分の好きな料理」の説明を書き込みます。その上で各グループ内で互いに紹介し合っても

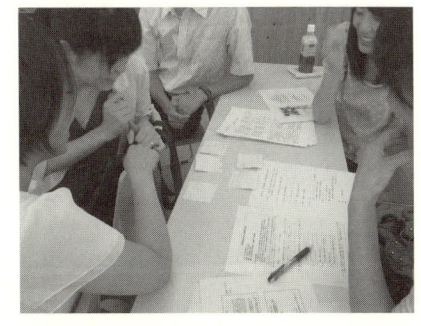

113

らいます。今度はその付箋をテーブルの真ん中に出して，2つに分けるように指示します。「和食－洋食」「安価－高価」など，さまざまな分類ができます。単に相手の話を聞いているだけで，「違いに気づく」ことはできません。「分けなさい」という指示があって初めて，比べたり分類するという方向に思考が向かいます。また，その活動に取り組みやすくなる道具（付箋）の効果も見逃せません。
　「共有する」ことや「違いに気づく」ことを狙うなら，最初から，

▶他の人の意見をしっかりメモしましょう。
▶自分の意見と他の人の意見と，どこが違うか比べながら聞きましょう。

といった指示が必要です。またこうした方向に思考を向かわせるためのノート指導や，付箋など道具の工夫も不可欠です。

抽象的で美しい表現の魔力

　先生方が指導案を作成するときに，この「共有する」の例にあるような，抽象的な表現で止まっていることが多いように思えます。困ったことに，教育現場では抽象的で，しかも美しい表現が多いのです。他にも例えば，「全員で」「練り上げる」「協力して」「考えのよさ」「豊かな感覚」といった表現をよく見かけます。
　こうした美しい表現は，そこで思考を停止させてしまう魔力を持っています。けれどもそこで止まらずに，もう一歩具体的に，児童生徒のどういう姿を実現したいのか，そのためにはどういう課題をどう指示すれば伝わるのか，考えてください。
　例えば，

▶全員で，解き方を練り上げて，〜〜という考え方の良さに気づかせる。

で止まるのではなく，

▶算数の得意な児童も苦手な児童も，一人残らず，まず自分の解き方を考えることができる。その上で，全員の考え方を紹介し合う。その中で，いちばん簡単で，間違いにくい方法を選ぶ。

と考えてみてください。「全員で〜」という美しい状態を実現するのがどんなに難しいことか，発問や課題設定にどれほど工夫が必要かがわかると思います。

6-2 もっとハッキリ具体的に

■ 基礎水準

心理学に「カテゴリーの基礎水準」という考えがあります。例えば私はこの原稿を「机」で書いています。机は「家具」の一種です。

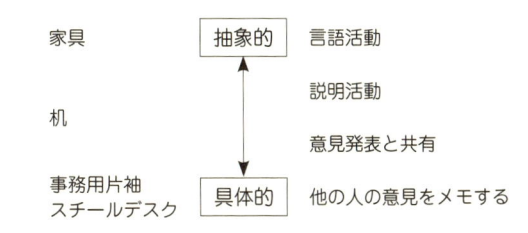

家具	抽象的	言語活動
机	↕	説明活動
		意見発表と共有
事務用片袖スチールデスク	具体的	他の人の意見をメモする

そしてこの机はもっと詳しく言うと、「事務用片袖スチールデスク」です。このように物事を表現するにはいくつもの水準があります。そしてその中で、ふだん使われやすいのが基礎水準です。「その机の上の書類取って」とは言っても、「その家具の上の」とか「その事務用片袖スチールデスクの上の」なんて、言いませんね。

では、先生方が授業を構想するときの基礎水準はどこでしょうか。

授業を構想したり、授業研究会で検討するには、できるだけ具体的な水準で考えられたら（それが基礎水準になったら）よいと思います。

☞ ツボ

> 授業の展開や学習活動を考える際に、抽象的な表現で満足してはいけない。どういうことをしてほしいのか、どういう状態を目指すのかを、「何をするか」「何ができればよいか」という具体的な児童生徒の姿で考えることが大切だ。そこから有効な発問や指示が生まれてくる。

☞ 近くのツボ

> できるだけ具体的なレベルに下ろして考えることは、評価規準（ルーブリック）を考えたり、問題解決のどこでつまずいているかを見取って支援するときにも、大切です。これらについては11－2と11－3で触れています。また4－6では、具体的に褒めたり叱ることの大切さを述べています。

6-3 "つもり"を伝えていますか

　体罰の問題が話題になるとき，しばしば，「期待の裏返し」という表現が使われます。期待しているからこそ，厳しく指導する，それが度を超して体罰になった，という説明です。

■ 学習場面，行事，部活で教師の期待を伝える

　しかし期待しているのなら，その期待をもっとハッキリ，まっすぐ伝えられないものでしょうか。ある講習会で小中学校の先生方に「児童生徒に期待していることを伝えるにはどういう方法があるか」考えてもらいました。学習，行事，部活という3つの場面それぞれで出てきた回答を並べてみます。

〈学習〉
▶ノートやプリントなどで，よくできたところをコメントする。
▶検印だけでなくコメントを添える。「がんばったね」とか，「もっと～～するといいね」とか。
▶ちょっと難しい問題に挑戦させる。

〈行事〉
▶運営を子どもに任せる。
▶合唱で良くなったところを褒め，手を入れるとより良くなるだろうというところを伝える。
▶個人の取り組みを取り出して褒める。

〈部活〉
▶勝っても負けても，自分たちのよかったところや成長できたところを振り返らせて認めてあげる。
▶以前の姿と比較して，良くなった点を伝えてあげる。
▶顧問が指導する場面以外に，子どもに任せる場面をつくる。

〈部活〉で出てきた回答をもう1つだけあげましょう。「顧問が部活に遅れない，

部活を休まない」…確かに，期待していればこそ，忙しい時間をやりくりしてきちんと部活指導に取り組んでいるのでしょう。しかし子どもからすれば，顧問が休まないのは当たり前のこと。それだけでは，先生の期待は子どもたちに伝わりません。

問題は，先生がどういう「つもり」か，ということではなく，その「つもり」が子どもに伝わるか，ということです。そういう視点で，ここに並べた回答をもう一度ご覧ください。伝わるでしょうか？

■ 伝わらなければこんな事態に

先生方が授業で取り入れる工夫も，もしかしたら教師の期待とは裏腹に，子どもたちからは「なんでこんなことするの〜？」「面倒くさい〜」「意味わかんないしぃ〜」などと受け取られているかもしれません。

例えば説明活動。教科書を単に音読するよりも，気づいたことを声に出しながら読む方が，学習効果が上がります。さらに，他の人に説明したり，そこでやりとりが生まれることで，学習は深まります。そのことを先生方はよく知っています。けれど子どもたちはもしかしたら，「またペア活動？　グループ活動？　説明？　面倒くさい〜」などと思っているかもしれません。

ある高校で，新年度から協同学習（小集団での話し合いや課題解決）を積極的に取り入れることにしました。するとこうした方法を初めて経験した2年生・3年生から，「去年まではこんな面倒なことをしなくてもよかった」と不満が出てきたそうです。ですから協同学習を推進される先生方は，特に導入初期に児童生徒に向かって，協同の大切さを熱く語ることを勧めています。

もう一例。中学生の学習相談をしていた方からうかがった話です。ある中学2年生が，成績が下がったので先生に相談したところ，「同じ問題集を繰り返し解きなさい」とアドバイスされました。彼女はそこで，問題集を繰り返し解いたのですが，それでも成績は改善しません。相談にあたった方がよく聞いてみたところ，繰り返し解いてはいたけれども，答合わせをしていなかったそうです（答合わせをして×をつけるのが辛かったのでしょうか）。先生からすると，「いろいろな問題集に目移りしていると，結局何ひとつきちんとやり遂げられないままになってしまい，達成感が得られないぞ。1つの問題集から大切なことを学び尽くせ！」という「つもり」だったのでしょう。

第6章 指示・発問・説明について…考えた

先生がどういう「つもり」なのか，活動の意図を説明すること，そしてその活動の効果が実感できるような授業を工夫することが，欠かせません。

ツボ

教師には当たり前すぎて，「言わなくてもわかるだろう」とすら思わない事柄はたくさんある。しかし児童生徒には，そうとは限らない。当たり前のことでも言葉を惜しまずに説明しなければ，教師の意図や願いが児童生徒に伝わらないことがある。

近くのツボ

説明活動については第7章で，協同学習については第8章で，それぞれ詳しく取り上げています。また問題集をひたすら繰り返し解いた中学生の事例は，4－2，5－3，12－3でも触れています。11－2では評価基準を子どもに開示することを考えます。これも一種の「つもりを伝える」です。

6-4 教師自身がライブで見本を

　中3の国語、「話す・聞く」領域で『自分の魅力を伝えよう　記者会見型スピーチをする』(光村図書)という授業を参観しました。5〜6人一組のグループで、1人がインタビューされる側、2人がインタビュアー、あとの人が記録係になりました。

■ ヒントカードの話型ではうまくいかない
　生徒には、教科書の例を参考にインタビューすること、うまく進まない場合はヒントカードを参考にすることが伝えられました。ヒントカードには

> ヒント
> 【Aさんは、……と言っていましたが、】
> 　なぜ……なのか、その理由を教えてください。
> 　なぜ、……は好き(大切)なのですか。
> 　どのように……するのか教えてください。
> 　……について説明してください。
> 　……について具体例をあげてください。

という質問文例が示されていました。
　それでもなかなかうまくインタビューが進みません。「僕とバスケ」というテーマを掲げた友だちに向かって、「どうしてバスケが好きなのですか」とか「どのように練習するのですか」といった単発、ぶつ切りの質問が続くグループもあります。

■ F先生、動く
　F先生はそうしたグループに入っていって、自分がインタビューをして見せました。Fは先生、Sは生徒です。

　F「どのように練習するのですか？」
　S「最初は準備運動と軽いランニング。そのあとパスなんかの基本動作をやって、試合形式の練習になります」

第6章 指示・発問・説明について…考えた

F「練習はきついと感じますか？」
S「きついです」
F「きついと感じても続ける理由は何ですか？」

生徒たちからは「先生すごーい！」という声が上がりました。これに対してF先生は，「すごいことじゃないんだ。相手の話してくれたことに，ちょっとだけ付け足して尋ねるんだ」と種明かし。

■ F先生，ポイントを取り出してふくらませる

インタビューが一段落したところで，クラス全体で感想を聞きました。ある女子生徒は「私の好きなバレーボール」というテーマでインタビューを受けました。

S「たくさん質問してくれて，しっかり答えられて，良かった」
F「自分が良かったの？　質問が良かったの？」
S「質問」
F「どんな質問？」
S「バレーが好きな理由を教えてくださいとか，細かいところまで質問された」
F「その人の良さが出るような質問だったんだな。そこが良いな」

この生徒は「細かく（具体的に）」質問されたことが良かったと考えています。中学生の判断基準というのは，こういうものでしょう。それに対して先生は，ポイントを取り出しふくらませて投げ返しています。

■ F先生，つぶやいて見せる

F先生の別の授業を見てみましょう『課題解決に向けて話し合おう』という題材です。ここでは，自分たちの中学校生活を振り返り，中学進学を控えた小学校6年生に向けてリーフレットを作ることが，最終的な目標となっています。生徒たちは前時までに，「自分の経験」と「そこから引き出されるアドバイス」を各自で付箋にメモしていました。本時はグループごとに付箋を持ち寄って整理して，リーフレットの構成を考えます。

先生は最初に，色画用紙で作成した大きな付箋を取り出して，それを黒板に貼りながら，整理の仕方をやって見せました。「えっと，これとこれは，どちらも

勉強のことだから，まとめて○で囲んでおこう。これとこれは部活だからまとめて…あ，だけど『部活に熱くなれ』も，『毎日一時間は勉強しよう』も，『目標をもって取り組もう』とまとめることができるな…」。こんなふうに，自分の思考を声に出しながら，やって見せたのです。

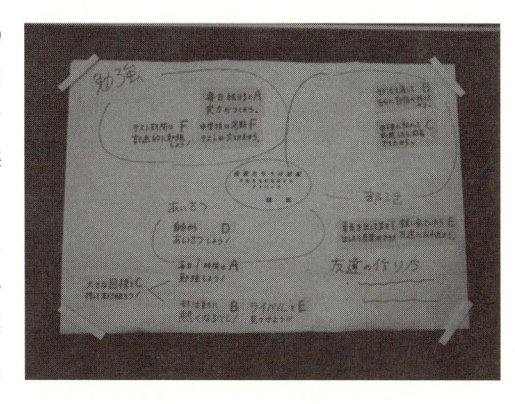

生徒たちは，先生のやり方をまねしながら，自分たちの発想やアイディアも加えて付箋を整理し，次の時間にはすてきなリーフレットが完成していました。

F先生の授業ではこんな具合に，自分がモデルになってやって見せたり，生徒の発言を丁寧に聞き取って，それに+αのコメントを加えてふくらませるという場面がしばしば見られます。ちょっと足場を掛けてやり，できたことをもう一歩豊かにして返します。モデルを示すだけでなく，そのときの思考過程を説明することで，モデルの効果が高まります。

■ 意外に少ないモデル提示

先生自身がモデルになることが，意外と少なくないですか？ 例えば児童生徒に「自分の言葉で説明を考えてみましょう」と投げかける先生は多いのですが，「自分の言葉で説明する」様子をモデルとなって示している場面には，ついぞお目にかかったことがありません。

もしかしたら「いや，どう考えたり説明したりすればよいかは，適切な話型を掲示したり，ヒントカードを与えて指導しています」とおっしゃるかもしれません。しかしヒントカードや話型よりもライブのモデルの方がはるかにインパクトがあることは，F先生のインタビューの授業で示したとおりです。

■ 二通りのモデル

このように見本を参考に学ぶことは「モデリング」と呼ばれ，古くからその効果が実証されています。最近はさらに，どういうモデルを示すことが有効か，と

第6章 指示・発問・説明について…考えた

いう観点からの研究が行われています。

その結果，最初から完璧に課題をこなすモデル（マスタリー・モデル）よりも，モデル自身が四苦八苦しながら課題に取り組む様子（コーピング・モデル）を示す方が，学習効果が高いという結果が得られています。

完璧なマスタリー・モデルは到達点を示してくれますが，ではどうすればその地点に到達できるかを教えてくれません。それに対してコーピング・モデルだと，学習者と似た水準から上達していく過程が見えることで，動機づけも高まり，学習の方法もよくわかるわけです。

ツボ

> 教師は考え方や活動方法を指示するだけでなく，自らがモデルとなって，やって見せなければならない。児童生徒の学習は，それを真似るところからスタートする。そのためには，児童生徒が真似やすいコーピング・モデルが有効だ。モデルを示すと時間がかかるが，その分はモデリングの効果でカバーできる。

近くのツボ

> 教師が見本を示すことの大切さは，2－4, 3－6, 9－6でも触れています。またF先生のリーフレット作りの授業は，10－4で別の角度から取り上げます。

6-5 比喩を使った説明

　人に何かを説明するときに、「たとえ話」をするとわかりやすくなることがあります。教科書を開いてみると、意外とたくさん、たとえ（比喩）を使って説明されている内容があります。いくつか例をあげてみましょう。

例1　中1数学　方程式
　方程式を天秤にたとえています。「3X + 2 = 41」という方程式は、天秤で左の皿（3X + 2）と右の皿（41）が釣り合っている（＝）状態です。左右の皿に同じ数を足しても引いても、かけても割っても、釣り合いは保たれます。

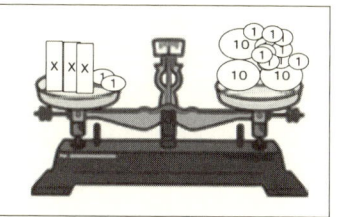

例2　中1数学　正の数，負の数
　正の数と負の数が混ざった加法を、列車の貨物の連結にたとえています。例えば
（＋5）＋（－2）＋（－9）
という計算で、連結部（＋）は無視して貨車の中身だけを並べると
　　　　+5 ＋ －2 ＋ －9
　　　　+5　　 －2　　 －9
　　　　 5　　 －2　　 －9
となります。

例3　中2理科　電流と電圧
　電流を水流にたとえています。豆電球の直列回路を流れる電流はどこで計っても同じ大きさです。電流が流れて豆電球が光を出しても、電流は小さくなりません。これは水流の途中で水車を回しても、水の量は変わらないことと同じです。

例4　小6理科　人の体のつくりと働き
　骨格を騎士の鎧にたとえています。鎧が体を守るように、骨格は内臓を守っています。

　教科書にあがっている他にも、先生たちは独自の比喩を使って、わかりやすく説明することがあります。現場の先生方から教わった例をいくつか紹介しましょう。

例5	作文

倒置法（例：「僕は知らなかった，このことを」）は読み手に強い印象を与えます。これはたくさんの人がいる中で，あなた一人だけ逆立ちしていると目立つようなものです。けれどあまりたくさん倒置法を使うと，効果がなくなります。みんなが逆立ちをすると，あなたの逆立ちは目立たなくなります。

例6	中2国語（古典）

「笛を腰にささりたり」に係り助詞「ぞ」を入れて「笛をぞ」とすると，笛が強調されます。こういう係り助詞が入ると，文末は「腰にささされたる」と変わります。係り助詞は，整列しているところに割り込むようなものです。割り込まれると，後ろの列はもう一度並び直して形を変えます。

例7	中1英語

do, does, did を一緒に使うと，同士は原型に戻ります。例えば "He plays tennis." を疑問文にすると，"Does he play tennis?" になります。do, does, did は掃除機のようなもので，余分なもの（plays）を吸い取ります。

例8	中2理科

脳は図書館みたいなものです。たくさんの知識が詰まっています。

■ 伝わる比喩，伝わらない比喩

こうした比喩によって，何となくもやもやした感じだったのが，「あっ，そうか！」と霧が晴れるように（これもたとえです）わかることがあります。

けれどすべての比喩が，そういう効果を発揮するとは限りません。ここで紹介した例の中にも，わかりやすいものもあれば，ちょっとピンとこないというものもあったでしょう。

比喩を使って説明するときに，気をつけないといけないことが2つあります。

■ 相手が知っていることにたとえる

第一に，相手が十分わかっていることにたとえなければいけません。「未知の事柄」を「既知の事柄」に結びつけるからこそ，既知の事柄との対応で，未知の事柄が理解できるのです。私自身，こんな失敗をしたことがあります。学生の卒業論文を添削して返すときに，「堅くてぎこちない文章ですね。まるで鉄人28号

みたい」とコメントしたのですが，わかってもらえませんでした。鉄人28号は昔の人気漫画。リモコンでぎこちなく動くロボットです。けれど今の学生さんには，初耳だったようです。教科書の執筆者の世代では十分わかった比喩が，今ではわかりにくくなっているというケースもあるかもしれません。そう考えると，例2（数式を貨車にたとえる）や例3（電流を水流に，豆電球を水車にたとえる）が今時の生徒にどれほど伝わるか，少し心配です。

比喩は比喩であって同じものではない

　第二に，比喩は比喩であり，同じものではないということです。電流は電流であり，決して水流ではありません。係り助詞は係り助詞であり，割り込みをする人ではありません。脳も図書館も，たくさんの知識が詰まっています。けれど図書館と違って脳は24時間，機能しています。また図書館に所蔵されている資料のほとんどは文字で書き表されたものですが，脳内には文字や言葉で表現できない知識（身体的なスキルなど）もたくさん蓄えられています。

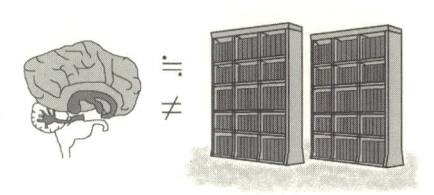

　比喩はあくまで，「みたいなもの」です。ですからその比喩によって，どこに着目してほしいかを明確にしなければ，ずれた理解をしたり，過度に似たものとして受け止められてしまいます。わかりやすくするための説明が，誤解のもとになりかねないのです。

ツボ

たとえ（比喩）を使うことで，学習内容を児童生徒の知識と結びつけることができれば，理解しやすくなる。けれどもそのためには，相手にわかる比喩でなければならない。また比喩が思わぬ誤解をもたらさないよう，「たとえるもの」と「たとえられるもの」の対応を明確に示さなければならない。

第6章 指示・発問・説明について…考えた

> **近くのツボ**
>
> 説明をわかりやすくするための工夫が,思いがけず学習を阻害する危険性については,6-6と6-7で「具体例」をテーマに取り上げます。また説明をわかりやすくするはずのイラストや図表が引き起こす問題は,9-4と9-5で取り上げます。

6-6 三角形と四角形

　2年生の算数で三角形や四角形を勉強するとき，必ず，定義と一緒に具体例が添えられています。例えば

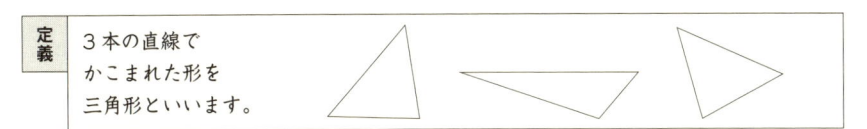

> **定義** 3本の直線でかこまれた形を三角形といいます。

といったものです。

　これに続いて，たくさんの図形の中から三角形・四角形を見分けたり，身の回りから三角形や四角形を探したりする学習が行われます。教科書によってはコンビニのおにぎりの写真などが載っており，思わず「それは三角形じゃないだろう！」と，突っ込みたくなります。

　ここで児童は，「三角形」という抽象的な概念を学習します。その学習のために，具体例が使われるわけです。上の説明ですと，定義が概念に該当し，3つの三角形が具体例に該当します。こうした具体例なしに，「三角形」という概念を学習するのは，不可能といってもよいでしょう。

■ 意外と難しい図形の学習

　「三角形」「四角形」「台形」「平行四辺形」といった図形概念の学習は，実は非常に難しいのです。考えてみてください。「正方形」を45度傾けると「ひし形」という名前に変わります。「ひし形」は「平行四辺形」とも言えます。そのうえ日常生活では「ましかく」や「ながしかく」といった表現も使われます。あ〜，ややこしい。

　図形概念の学習の難しさを示す例をあげましょう。

第6章　指示・発問・説明について…考えた

例1　小学校5年生の授業で，四角形の内角の和が360度になることを，四角形を2つの三角形に分けて，説明しようとしています。三角形の内角の和が180度であることは学習済みですから，それを使って証明するわけです。さて，そのクラスで算数のいちばん得意な児童が，左のように線を引いて2つの三角形に分けました。彼はじっと図形を見つめて，こうつぶやきました。「なんか，変だな。でも，やっぱり三角形だよなぁ」。結局彼は，この線を消すと，右のように線を引き直したのです。左の図形の小さな三角形は，彼には「三角形らしくない」と感じられたのでしょう。

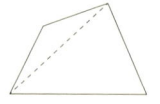

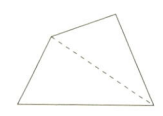

例2　小学校の先生に聞いた話です。三角形と四角形を勉強した小2の児童にこのような図形を見せて「三角形かな？　四角形かな？」と問うと，「三角形！」「四角形！」「四角の仲間の三角?!」と，議論が沸騰したそうです。

例3　中学校の校長先生から聞いた話です。中学生に「平行四辺形」を描いてごらんと言うと，まず間違いなく，横長で右方向に傾いた形を描くそうです。

例4　平行四辺形をちょっと傾けると，どこが底辺でどれが高さにあたるのか，混乱する児童がたくさんいます。そうでしょう。だって「底」にないのに，「底辺」ですから。

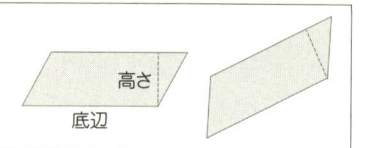

教科書の具体例に問題はないか

　実は，教科書で取り上げられている具体例が，こうした図形概念の難しさを引き起こす一因となっているのではないかと思われます。教科書に掲載されている三角形・四角形の具体例を見てください。比較的，形の整った，バランスの良い図形が多く示されていませんか？　そういう具体例を繰り返し見ることで，児童はいつの間にか，それらの図形概念を狭く捉えてしまうのです。例えば「さんかくは，3本の直線でかこまれた，バランスのとれた形」という具合です。

　教育心理学者の麻柄啓一さんと伏見陽児さんは，こうした具体例の影響を実験で確かめました。この実験では，三角形・四角形をまだ習っていない1年生に教

えたのです。そのとき，正三角形や正方形（図a）を例にあげて教えるグループと，不規則な三角形や四角形（図b）を例にあげて教えるグループに分けました。そしてたくさんの図形の中から三角形・四角形を選び出すテストを行ったのです。

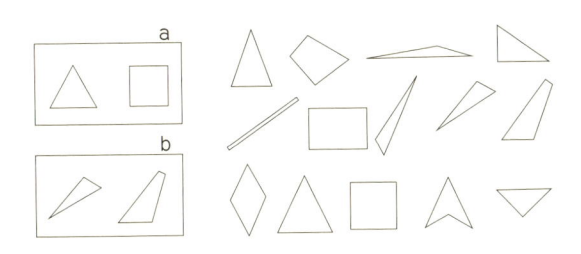

その結果，不規則な図形で勉強したグループの方が，成績が優れていました。不規則な具体例で教わることにより，三角形や四角形の概念を必要以上に狭く限定することが防げたのです。

大人にとって「例」はあくまで「一例」であり，どんな具体例でも，「三角形の一例」や「四角形の一例」として，それが持つ意味や情報に違いはありません。しかしどんな具体例を使うかは，児童の概念学習を左右する大きな鍵を握るのです。

ツボ

すでに概念を学習した大人にとっては，具体例は"one of them"でしかない。しかしこれからその概念を学ぶ児童生徒にとっては，一例が決定的な意味を持つこともある。そういう点に目配りをした教材研究が必要だ。

近くのツボ

理科でも同じように具体例が学習を左右することを，次の6-7で取り上げます。平行四辺形の「底辺」の理解が不十分なことは，2-5で紹介した平成19年度全国学力・学習状況調査からもうかがわれます。

6-7 お魚にも…！

2012年11月2日の読売新聞群馬版に，小学校1年生が市内の商店街を見学し，職業体験をしたという記事が掲載されました。鮮魚店を訪れた児童は半身に下ろされたブリを見てびっくり！「お魚にも，血が流れているんだ！」とつぶやいたそうです。こんなことに驚くということの方が，よほど驚きです。

■ カタツムリもエサを食べるんだ！

けれども調べてみると，こうしたケースは珍しくありません。

ある研究では次の問題を小学校5年生，6年生，短大生に出しました。

> **問題** つぎの生き物のうちでおなかがすいた時なにかエサを食べると思うものに○，食べないと思うものに×，わからないものに△をつけなさい。
> カタツムリ　カエル　アオムシ

カエルやアオムシがエサを食べるという回答はどの学年でも多かったのですが（それでも100％ではありませんでした），カタツムリがエサを食べるという回答は，5年生で30％，6年生で35％，短大生でも45％でした。

■ チューリップにもタネができるんだ！

別の研究では，短大生にこんな問題を出しました。

> **問題** つぎの植物のうち，タネ（種）ができると思うものに○，タネはできないと思うものに×，タネができるかどうかわからないものには？をつけてください。
> アサガオ　サツマイモ　スギ　ハクサイ　コスモス　シイタケ
> アブラナ　チューリップ　ジャガイモ　マツ　ユリ

シイタケ以外はどれもタネができます。けれどもハクサイ，チューリップ，

ジャガイモ，マツ，ユリについて正しく「タネができる」と回答した短大生は，30%程度でした。なおアサガオ，サツマイモ，スギは，実験手続き上の理由により，分析からは除かれています。

■ 問題なのは個別の知識ではない

ここまで3つの例をあげました。「お魚にも血が流れているんだ！」「カタツムリもエサを食べるんだ！」「チューリップにもタネができるんだ！」…小学校1年生も5・6年生も大学生も，よく似ていますね。

教育心理学者の伏見陽児さんは，こうした反応について，「カタツムリはエサを食べる」「チューリップはタネができる」という個別の知識を持っていないことが問題なのではない，と指摘しています。そうではなく，「動物はエサを食べる」とか「花を咲かせる植物はタネで子孫を残す」といった，「動物」や「種子植物」という概念の学習が不十分なのだというわけです。

■ 具体例が概念を狭める

さらに伏見さんは，こうした概念学習が不十分な理由として，学習の際に使われる具体例が限られていることが問題だとしています。どういうことでしょうか。

学校で生き物を飼う場合も，理科で植物の仕組みを学ぶときにも，定番教材というものがあります。動物ならウサギやハムスター，植物ならアサガオやヘチマ，といった具合です。その結果，本来なら動物全体，植物全体に当てはまる事柄を学習してほしいのに，学校で扱った動植物に限定した狭い理解にとどまってしまうのです。これは三角形・四角形の学習で，バランスの良い図形だけを具体例にして学んだときに見られたのと同じつまずきです。

こうしたつまずきを防ぐために伏見さんは，子どもにとって意外に感じられる具体例を使って説明することを勧めています。植物であれば，スギやサツマイモを例に，花からタネができる仕組みを説明する，といった方法です。そしてこれを「ドヒャー型学習援助」と名付け，その効果を実証しています。

ツボ

定番の教材には，身近にあって扱いやすいという利点がある。しかし同時に，児童生徒の学習を制約する危険性も含んでいる。定番以外の教材も使ってみよう。複数の教科書にあたって，どういう具体例（教材）を用いているかを見比べることも，教材研究として有効だ。

近くのツボ

「お魚にも血が！」と驚いた小学生のことは，1−3で，別の角度から取り上げています。

第7章
言語活動について…考えた

　平成20年に学習指導要領が改訂され,「言語活動の充実」が現場を賑わせました。どの学校も,いろいろな言語活動を取り入れようとする中で,私は「はて,これまでの学習活動は,言語活動ではなかったのかなぁ?」と不思議に思っていました。

　けれどもやがて,ポイントは「言語活動」にあるのではなく「充実」にあるということ,何のための充実かというと,思考力・判断力・表現力の育成のためだということに気づきました。

　そういう観点で授業を見ると,充実していると言えるか疑問なケースもあります。思考力・判断力・表現力につながる言語活動について,考えました。

7-1 目的（目標）と手段を間違えるな

　堅い話から始めます。学習指導要領の総則で「言語活動」を確認してみましょう。「小学校学習指導要領　第1章　総則　第4　指導計画の作成等に当たって配慮すべき事項　2 (1)」が該当します。そこにこう述べられています。

> 各教科等の指導に当たっては，児童の思考力，判断力，表現力等をはぐくむ観点から，基礎的・基本的な知識及び技能の活用を図る学習活動を重視するとともに，言語に対する関心や理解を深め，言語に関する能力の育成を図る上で必要な言語環境を整え，児童の言語活動を充実すること。

　お叱りを覚悟の上で，ハッキリ申し上げます。悪文です。一読して理解できる人は，そういないでしょう。先生方が拠り所とすべきものが，先生方に伝わらない。ですから『学習指導要領解説』では，この2 (1) について，4頁にわたる解説が付されています。

学習指導要領とその解説を読み解く

　学習指導要領解説を踏まえて，上の悪文を腑分けしましょう。

1. 各教科等では次の2つの学習活動をバランス良く実施する。
    - ①基礎的・基本的な知識及び技能を習得する学習活動。
    - ②基礎的・基本的な知識及び技能の活用を図り，それを通して児童の思考力，判断力，表現力等を育む活動。
2. ①②のいずれの学習活動も，言語を用いて行われる。
3. そこで言語活動を充実させることが必要である。具体的には，言語に対する関心や理解を深め，言語に関する能力の育成を図ることが必要である。
4. また言語活動を充実させるには，言語環境を整えることも必要である。

　さらにこれを図にすると，こうなります。

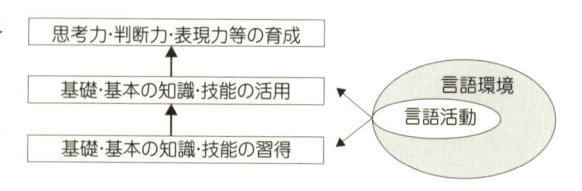

```
思考力・判断力・表現力等の育成
         ↑
基礎・基本の知識・技能の活用  ←→  ┌─────────┐
         ↑                      │ 言語環境    │
基礎・基本の知識・技能の習得  ←→  │ 言語活動    │
                                └─────────┘
```

134

わかっていただきたいのは、ただ一点。目指す目的は「思考力・判断力・表現力等の育成」であり、「言語活動」はそのための手段だということです。(それならそうと、最初に書いてくれよ…)。

指導事例集で釘を刺される

「目的（目標）と手段」ということに関して、他の資料も見てみましょう。

文部科学省が平成24年に発行した『言語活動の充実に関する指導事例集【小学校版】』では、「『ここで音読する』『ここで話し合う』といったばらばらの活動ではなく、児童が自ら学び、課題を解決していくための学習過程を明確化し、単元を貫く言語活動を位置付けることが必要である」(p.11)と釘を刺しています。同じく【中学校版】では「『考えを書く』『話し合う』といった活動が脈絡なく行われることのないよう」(p.11)としています（傍点筆者）。

このように釘を刺されているということは、「とりあえず説明」「とりあえず話し合い」といった活動が脈絡なくばらばらに行われる授業が多いことを示しているのではないでしょうか。けれども教師は、

▶単元全体の目標は何か。
▶目標を達成するには、どう学ぶことが大切か。
▶そうした学びが成立するためには、どういう言語活動を設定すれば効果的か。

といったことを考えて授業を設計しなければならない、というわけです。

もちろん先生の話を黙って聞いているよりは、まわりの子どもと話す方が楽しいに決まっています。しかしそれが「おしゃべりできて楽しい」というところを越えて、学習目標の達成にどれほどつながるかを考えなければなりません。

『初恋』の授業で

前置きが長くなりました。

中学校3年生、国語の公開授業で、島崎藤村の文語定型詩『初恋』が扱われました。生徒は前時に各自で、この詩の第一印象を付箋に書き込んでいました。そして公開授業当日は4人でグループを構成し、4人の付箋をあわせて整理することを通し

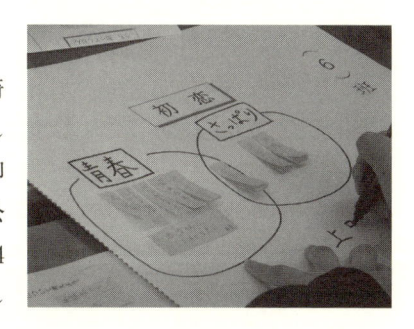

第7章 言語活動について…考えた

て，第一印象がどういう表現から引き起こされたのかを吟味しました。生徒たちは，似ている付箋をまとめて模造紙に貼り付け，それらを一言で表すラベルを書き入れたり，複数の印象の関係を示す線を書き込むなどしていきました。例えば「林檎」や「あげ初めし前髪」といった表現から「みずみずしい感じを受けた」といった具合です。

　研究会では，まず生徒全員がスムースにグループ活動に取り組めたことが高く評価されました。そしてその原因として，教師がワークシートや付箋の使い方に工夫をこらしていたことや，付箋の使い方を教師自身がモデルとなって実演して見せたことなどが指摘されました。

■ 全員がスムースに取り組めるのは当然のこと

　ところがこうした研究会の雰囲気に水をさすような発言が出されました。こんな発言です。

　　　指導要領では，言語活動の充実が言われています。しかしそのことを誤解して，言語活動，例えば話し合いが全員参加で行われれば，それで目的が達せられたと考えるケースがあるようです。言語活動の充実は思考力・判断力・表現力を育成するための手段であって，目的ではありません。そうであるなら，言語活動に全員がスムースに参加できるのは，授業としての当然の条件です。問題はその先。話し合いにより学習が深まり，目標とする力が育まれたかどうかです。

　この発言をきっかけに，グループ活動での生徒の思考や表現の様子に，検討の焦点が移りました。「話し合いを通して，詩から受け取る印象は深まったのだろうか，それとも，小さくまとまってしまったのだろうか」「生徒が自分の感じた印象をうまく表現できない場合，どういう支援が考えられるか」など，授業の核心に迫る意見が出されました。これこそが，言語活動の「充実」に関わる授業研究でした。

■ 説明できないのなら止めてしまえ

　もう1つ例をあげましょう。中学校の数学の先生からこんな相談を受けました。

7-1 目的（目標）と手段を間違えるな

> **相談** 問題の解き方を隣同士のペアで説明させても，ペアの学力差が大きいと説明にならないんです。何を問われているかもわからない生徒がいる場合，どうすればペアでの説明ができますか。

　この方は，どうやら説明という言語活動を最終目標として捉えているようです。説明にならないのなら，今の段階ではペアでの説明を止めてしまえばよいでしょう。そして，先生が基礎的なことをしっかり教え直すとか，あるいはわかっている生徒がわかっていない生徒に教えて，わからない生徒はとことん「ここがわからない」と問い返す，といった学習活動に切り替えればよいと思います。

　「言語活動」が強調されると，私たちはつい，そこにだけ目が向いて，そもそもどういう脈絡で強調されたのかを忘れてしまいます。そして，手段が目的化し，手段の追求に躍起になってしまうのです。

ツボ

> 言語活動は，授業での学習を充実させ，思考力・判断力・表現力等を育むための道具だ。授業の中での言語活動が，そういう道具として役に立っているかという視点から，見直してみよう。言語活動を最終目標と勘違いしていないだろうか。言語活動が活発化することで満足していないだろうか。

近くのツボ

> 手段の目的化については 8-3 で，グループでの学習活動が目的化してしまう危険性を指摘しています。また 7-6 や，9-3，9-7 でも手段や道具が目的化し，児童生徒の思考の足かせになる危険性を指摘します。教師自身がモデルとなって実演することは，6-4 で強調しています。

7-2 説明活動は，確かに効果がある

　学習指導要領では，思考力・判断力・表現力等を育むことを目的として，そのための手段である「言語活動」の充実が強調されています。では具体的にどのような活動が，言語活動なのでしょうか。『小学校学習指導要領解説 総則編』を開くと，「各教科等において，記録，要約，説明，論述といった学習活動に取り組む必要がある」(p.2) としています。さらに，「観察や調査・見学などの体験的な活動やそれに基づく表現活動」(社会)，「三角形，平行四辺形，ひし形及び台形の面積の求め方を，具体物を用いたり，言葉，数，式，図を用いたりして考え，説明する」(算数)，といった例が示されています (p.54)。各教科の学習指導要領解説を開けば，学年と単元ごとに，さらに具体的な活動例が示されています。

　学校で比較的取り扱いやすいのが，「説明」でしょう。「どうしてそう考えたのか，説明しましょう」とか「どういう式になるか，説明しましょう」といった指示は，よく見られます。ノートに自分の説明を書くだけではなく，それを他の児童に対して説明するという場面もよく見られます。

説明の効果は実証済み

　この「説明する」という活動は確かに学習効果が高いことが，心理学の研究で明らかになっています。説明することで，説明した本人の学習が促されるのです。

　例えば，教育心理学者の杉江修治さんと梶田正巳さんが行った研究では，小学校5年生に「5進法」を学習してもらいました。その後，自分1人で復習するグループと，友だちに説明するグループに分けました。1週間後にテストをしたところ，友だちに説明したグループの児童の方が成績が良かったのです。

　説明に慣れてくると，目の前にいない相手に説明する，という活動も考えられます。例えば，習ったばかりの内容を下級生に向けて説明する新聞を作る，といった活動です。2012年3月27日の読売新聞には，京都市立静原小学校で，児童が分数や豆電球について勉強したことを，下級生向けの小さな「はがき新聞」

にまとめるという実践が紹介されていました。教科書の丸写しではよくありませんが，少しでも下級生のことを意識して説明を工夫したり，自分の理解の曖昧なところに気づいて教科書を見返したりすれば，効果があるでしょう。

■ 声に出すだけでも効果がある

ある先生は，授業に備えてリハーサルをした経験を振り返って，こう記しています。

> 指導案を構想した後，子どもが帰った教室で，一人ひとりの子どもの姿を思い浮かべて，黒板の前に立ち，板書もしながら自分の考えた発問・指示をしてみることもあります。すると，指導案ではうまくいくと思っていたことでも，実際に声に出しながら展開していくと，もっとわかりやすい発問や指示が浮かんでくるといったこともありました。
> (門川, 1997, p.58)

私自身も，授業やゼミで学生に説明している途中，思いがけないことに気づいたり，突然筋道が整理されたりした経験があります。字面を目で追うだけでなく，ゆっくり声に出してみることで，脳の中の情報が改めて整理されたり，脳内の情報ネットワークが活性化されて，思いがけないヒントがひょっこり顔を出す，ということがあるようです。

■ 自分で自分に説明する

ところで「説明」というと，誰かが誰かに向かって説明する様子を思い浮かべることでしょう。実は心理学ではもう少し間口を広げて，自分に向かって説明する，というのも説明の1つとして捉えて，「自己説明」などと呼んでいます。例えば，教科書を読むときに，読みながら気づいたことや考えたこと，あるいはちょっと頭に浮かんだことどを，声に出してみるのです。そうすると，単に教科書を読むだけの勉強に比べて，学習が深まることが知られています。

ためしに，この本文の冒頭の文章を，ある人に読んでもらいました。（　）の中が自己説明です。

> 学習指導要領では，思考力・判断力・表現力等を育むことを目的として，そのための手段である「言語活動」の充実が強調されています。（思考力が目的で，そのための言語活動か）では具体的にどのような活動が，言語活動なのでしょうか。（そうそう，これがいつも話題になるよな。あの頃の校内研修はこればっかりで）『小学校学習指導要

第7章 言語活動について…考えた

領解説 総則編』を開くと,「各教科等において, 記録, 要約, 説明, 論述といった学習活動に取り組む必要がある」(p.2)としています。(記録は理科っぽいな。要約は社会とか国語の説明文? 説明と論述ってどう違うんだろう?)

> 「学習指導要領では, 思考力, 判断力, …」

自分で勉強するときに, ノートをまとめるというのも, 広い意味では「自己説明」の1つと考えてよいでしょう。脳神経外科の築山節さんは, 医学部時代の勉強方法を振り返って,

- ▶自分の言葉でまとめノートをつくる。
- ▶ノートは,「人に教えたくなるように」まとめる。

ということが大切だと述べています。

説明はなぜ有効か

説明することがなぜ学習にプラスに働くのか, 詳しいことはわかっていません。私は一人で自分に説明するだけでも, 脳内で眠っていた知識が目を覚まし, 周囲の関連する情報に活性化が伝わるからではないかと考えています。また他の人に説明するときには, 相手の理解度を考慮しながら, 説明表現を工夫したり, いろいろな説明を試みることで, 1つの事柄を他面的に復習できるからではないかと思います。この点については次の7−3で詳しく考えます。

ツボ

説明活動は学習に効果がある。目の前の相手に説明する, そこにいない相手を想定して説明する, 自分で自分に説明する, 口頭で説明する, 書いて説明する, 思いついたことを口にする, 要約する, 等々, さまざまなかたちの活動を工夫できる。

近くのツボ

説明の効果は2−2で取り上げた「生成効果」の1つのバリエーションとも言えます。活性化については1−3で取り上げています。

7-3 「いいですか〜？」で，いいですか？

　教室では，ノートに自分の説明を書くだけでなく，友だちや先生に向かって説明することが多くあります。ところで教室でよく見かける説明に，こんな場面があります。

> **例1**　「調べ学習」でインターネットを検索したり，図書室で本を探し，そこに書かれていたことをノートに丸写ししています。発表のときには教室の前でノートを棒読み。内容が理解できているかは大いに疑問です。自分のノートなのに漢字が読めないこともありますから。そして最後に一言，「いいですか〜？」。これに対して，他の児童は「いいで〜す！」と返します。

> **例2**　算数の計算を考えた児童が，自分の席で式と答を発表します。そして［例1］と同じように，「いいですか〜？」と問いかけます。発表者と同じ答になっている児童は，元気に「いいで〜す！」と返します。自分で答が出ていない児童は黙っているか，あるいは一緒になって「いいでーす」とつぶやきます。発表者の答が間違っていても，つい習慣で「いいでーす」と反応する児童もいます。

　さて，こうした説明は果たして，思考力を育むという目的に適したものになっているでしょうか？

説明が学習を深める理由

　TVでおなじみの池上彰さんは，次のように述べています。

> 何か報告しないといけないとき，事前にまわりの人に，「こんなことがあってね」としゃべってみることによって，話すべき内容が整理されることがあります。あるいは，しゃべった相手の反応を見て，「そうか，こういうしゃべりでよかったんだ」「これじゃダメだ」「いまひとつだった」「すごくウケた。よし，これでいい」などと判断することもできます。
>
> （池上，2009，p.33-34.）

　話すことで頭の中が整理される，さらに，相手の反応が思考を促す鍵になっていることがわかります。
　このことを，大学生を対象にした研究で，見てみましょう。大学生が統計学の

141

第7章 言語活動について…考えた

テキストを勉強して，それをまだ勉強していない他の学生に説明しました。比較のために，他の学生に説明するのではなく，同じ時間，自分一人で復習するグループも設定しました。その後でテストを実施したところ，他の大学生に説明したグループの方が学習が深まっていることが証明されました。この研究ではさらに，相手に説明している様子を分析して，どういう説明ややりとりが学習を深める鍵を握っているのか探りました。その結果，聞き手が「んっ？」といった表情を示したり，はっきり「わかりません」と言ったのに対して，説明者がさらに説明を付け加えたことが，説明者自身の理解を深めていることがわかりました。

7－2で紹介したように，自分に向かって説明するだけでも，頭の中が活性化したり整理されるという効果はあります。しかし相手とのやりとりがあれば，そこでさらに学習が深まるチャンスが増えるということです。

相手からの質問や「んっ？」といった表情を前にして，改めて考え直したり，説明を付け加えたりするときに，思考が活発化します。そのことは，1つの内容を多面的に理解したり，いろいろな事柄とつなげるのに役立ちます。また，説明していると，自分でもうまくいかなくなったり，こんがらがることがあります。すると「あれ，ちょっと待って」と言って調べ直したり，考え直したり，確認したりします。これで理解の不充分な点が補強されるわけです。そして相手が納得してくれるようにあれこれ説明するうちに，筋道のはっきりしたストーリーができあがります。こうして理解が深まったり，学習内容のまとめ直しが起こるわけです。理科教育がご専門の森田和良さんはこのことを「『わかったつもり』に自ら気づく」と表現しておられます。

教師よりも友だちに説明する方が効果的

さて，やりとりをする相手としては，教師よりも友だちの方が望ましいと思える点がいくつかあります。

まず教師よりも友だちの方が，わからないことをはっきり「わからない」と言ってくれます。そこでなんとか説明しようとします。(逆に言えば，児童生徒の説明に対して教師がぼけ

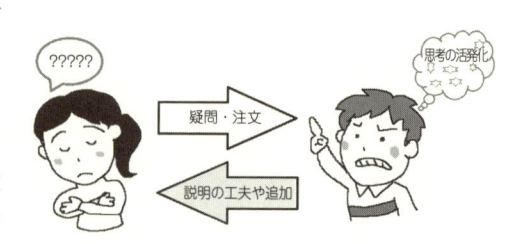

7-3 「いいですか～?」で, いいですか?

て「わからない」「なんで?」と返せばよいということです。)

　教師の説明を児童生徒が聞く場合,「?」と思っても, それをあえて問おうとはしないでしょう。友だちの説明に対して「ここがわからない」と問いかけることで, 聞き手も自分の頭を整理できます。さらに相手の説明に耳を傾けることにつながります。

　また癪(しゃく)なことに, 教師の使う言葉よりも友だち同士の言葉の方がわかりやすいということがあるようです。中1の数学の授業である生徒が,

$$\frac{1}{2}x - 1 = \frac{2}{5}x$$

という方程式を解くとき,「両方に10かければ, 分数がチャラになる (分数でなくなる)」と説明しているのを見たことがあります。教師には思いもよらない表現ですが, 説明された他の生徒は「あっ! そうか」と納得していました。

　さらにさらに癪なことに, 教師に向かって説明したり, 教師の説明を聞くよりも, 友だちに説明したり友だちの説明を聞くときの方が, ずっと真剣になっているということがあるみたいです。小学校6年生の理科の授業「月と太陽」。児童は月の満ち欠けを, 月と太陽の位置関係から考えようとしました。しかしなかなか説明できません。やがて「わかった!」という声があがり, 自分の手を月や地球に見立てて説明してくれる児童が現れました。このときクラス全体に,「なんで?」「どういうこと?」「自分でも考えないと!」という緊張感が広がりました。もし教師が「じゃあ, 先生が説明するから, よく聞いてね」と言ったらどうでしょう。同じような緊張感が生まれたでしょうか。

　このように相手との真剣なやりとりが, 説明の効果を高めるのです。「いいですか～?」「いいで～す!」というおきまりのやりとりでは, 説明の効果は小さいと思われます。児童生徒が真剣に話す・聞く説明活動が大切です。

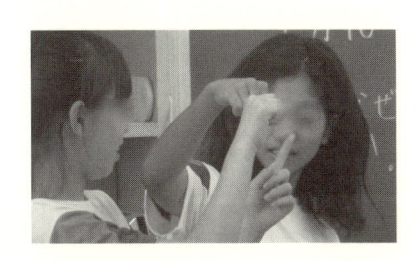

第7章　言語活動について…考えた

> **ツボ**
>
> せっかく目の前の相手に説明して，学習を深めるチャンスがあっても，「いいですか？」「いいでーす」といった定型的なやりとりでは効果は薄い。疑問を尋ねる，説明を加える，といった説明活動が大切だ。ネットを丸写しした発表に対して「いいでーす」と条件反射で済ませている児童には，「何がいいの？」と問い詰めてみよう。

> **近くのツボ**
>
> ここで考えたように真剣に話す・聞く活動は，グループでの学習活動が効果を発揮するための必須の条件です。グループでの学習活動については第8章全体で考えています。

7-4 話型は入れ物。中身の保証は？

「自分の言葉で説明しましょう」…この指示を初めて聞いたときに，いささか衝撃を受けました。「人からの借り物ではない，自分だけの言葉」で！ そんなことができるのだろうか⁉（先生方，「自分の言葉」で説明できますか？）

そのうちこれはそんなに大層なことではなく，「自分で説明しましょう」というくらいの意味だと気づいて，少しほっとしました。けれども，こういう指示をされた子どもたちは，やはり，多かれ少なかれ戸惑うのではないかと思います。「どう言えばいいの…」と。

教室で見かける「話型」の掲示

どう発言すればいいか，ということを子どもたちに教えるときに，しばしば，話型指導というものが行われます。下に示すような掲示をしている教室は多いはずです。

- ▶私は〜〜さんと同じで（違って），……だと思います。その理由は……だからです。
- ▶私はこれから，〜〜について説明します。はじめに……，次に……，最後に……。
- ▶〜〜さんに付け加えます。
- ▶私は△△がよくわからないので，もう一度説明してください。

もちろん，悪いことではありません。理由をつけて説明すること，結論を最初に明確に示すこと，順序立てて説明すること等々，いずれも論理的に話す基本です。ところで先生方は日頃職員室で，この話型のような話し方をなさっていますか？

教科書で見かける「話型」

教科書にこうした見本が掲載されていることもあります。学校図書発行の『みんなと学ぶ 小学校理科』では次に示すように，観察や実験の結果に基づいて話したり発表するときの，型と例が載っています。

第 7 章　言語活動について…考えた

▶このクリップは鉄でできていると思います。なぜならば，このクリップは磁石につくからです。(3 年生)
▶もしぼくの予想が正しいならば，電流を強くすると，電磁石につくクリップの数は…になると思います。(5 年生)

(学校図書『みんなと学ぶ 小学校理科 3 年』, p.128
同『5 年』, p.139　下線部は教科書では赤色で強調されている)

■ 内容を伴わない「型」の真似も

　けれどもこうした指導が，発言の行儀作法の練習にとどまって，内容が伴っていないこともあります。例えば「付け加えます」と言っておきながら，実質的には前の人と同じ内容の発言だったり，「○○さんと同じで，〜〜と思います。その理由は，僕もそう考えたからです」と理由になっていなかったり，といったケースです。

　NHK の番組「クローズアップ現代」(2009 年 6 月 18 日放映 "10 歳の壁" を乗り越えろ〜考える力をどう育てるか〜) で，こんな場面を見かけました。先生がわり算の問題を出しました。「227 個のキャラメルを 3 人で分けると，1 人何個でしょう」。算数の得意な児童が筆算ですらすら解いて，説明を始めました。「まず，220 を 3 で割ります。2 は 3 で割れないから，22 を 3 で割って 7。次に 7 × 3 で 21。22 から 1 を引いて，7 を下ろして 17。さんご 15 で，あまりは 2。だから，答は 75 あまり 2 になります」。「まず，つぎに，だから」という作法を踏まえた説明です。けれどまわりの児童からは一斉に「わからなーい。なんで 7 下ろすの」という質問が続出しました。解いた児童も説明できず，頭を抱えてしまいました。

■ 発言の型だけでなく中身の評価を

　話型は，説明という中身を入れるための「入れ物」です。もちろん型が決まっている方が，説明しやすいし，聞きやすいということはあります。

　しかし入れ物は決して，中身を保証してくれるものではありません。先生方には入れ物だけでなく，理由がきちんと説明できている，前の児童になかった内容がしっかり付け加わっている，聞い

た相手に確かに伝わっている，といった中身を評価していただきたいと思います。そして「今の発言は，理由が詳しく説明できていましたね」「前の○○君の考えに，〜〜という点を加えたんだね」と，発言の内容の良さを教室全体に投げ返してほしいと思います。そうすることで，どんな発言が大切なのか児童に伝わり，話型に中身が伴うことにつながるでしょう。

2013年9月に文部科学省が全国学力・学習状況調査の結果に関する説明会を開催しました。そのとき数学の担当者が，記述式問題には，事柄や事実を説明する（〜は…である），方法を説明する（〜を用いて…する），理由を説明する（〜であるから…である），という3タイプがあることを紹介したあと，こう強調していたのが印象的でした。「正答例を見ると話型に見えるかもしれません。けれどこれは，話型じゃないんです。私たちも話型を評価しているわけじゃないんです」。

ツボ

> 最初は型をなぞることが便利だ。しかし型を教えて，型にとどまることが話型指導ではない。型はあくまで，思考や発言を支援するための道具である。言語活動を思考力につなげるには，話の中身を評価したり，優れた発言の良さを教師が教室全体に投げかけることが必要だ。

近くのツボ

> 話型を「話し方」の型から「考え方」の型につなげ，そして思考のコツ（スキル）として定着させる試みを，次の7－5で取り上げます。さらにその次の7－6では，思考スキルの育成に学校全体で取り組んでいる例を紹介します。

7-5 話型から思考型へ

　話型指導の多くは「まず，はじめに」や「その理由は」など，非常に一般的なものを教えようとしています。どの教科でも，順序に気をつけて説明したり，理由を付けるときには，この型が使えます。
　しかしそもそも「どう考えればいいの？」と悩んでいる子どもにとっては，もっと端的に，考え方の型や見本を示すことが有効だと思います。
　ここでは特定の教科の目標を踏まえて，思考の型を生徒に教えた実践的な研究を紹介しましょう。

説明文を読むときの考え方

　教育心理学者の清河幸子さんと犬塚美輪さんは，説明文の読解が苦手な中学生に個別指導を行い，その中で，説明文を読んで，先生と生徒がやりとりをする場面を設けました。
　先生が文章の内容を説明するとき，生徒には，次のように積極的に質問してみようと教えました。

①言葉の意味や詳しい内容がわからないとき
　「〇〇って，何のこと？」
　「〇〇を簡単な言葉で言うとどうなるの？」など
②説明が曖昧で理解できないとき
　「別の言い方をするとどうなるの？」
　「一言でいうと（題名をつけると）どうなるの？」など
③話の流れがわかりにくいとき
　「あの話の次になぜこの話が続いているの？」
　「さっきのまとまりとこのまとまりはどういう関係なの？」など

　また反対に，生徒が文章を読んで先生に説明するときには，次のコツを教えました。いずれも説明文の構成や内容を把握するのに役立つコツです。

①おおまかな内容を伝える。

▶内容のまとまりを考えてみよう。
　▶まとまりを一言で言い換えてみよう（題名をつけてみよう）。
　▶まとまり同士の関係を考えよう。「問題提起」と「問題に対する答」など
②細かい部分を伝える。
　▶内容を詳しく（具体的に）言う。
　▶具体例を使って説明するなど

　こうした型を用いて先生に質問したり，自分が説明する経験を重ねるうちに，この生徒は説明文の読解に慣れていき，長い説明文を的確に理解して要約できるようになりました。

理科のテキストを読むときの考え方

　次に理科の例を紹介しましょう。これは教育心理学者の深谷達史さんによる研究です。深谷さんはテキストから科学的概念を理解するには，そこで扱われている事項の「仕組みと機能」を把握することが重要だと考えました。そこでテキストを読むときに，

「〇〇があるのは何のため？」
「〇〇が〜〜するのは何のため？」
「〇〇はどのように機能を果たすの？」

といった観点で読むように促しました。例えば，魚を飼うときの注意点を説明したテキストをもとに，

「ろ過装置がきたない水を出し入れしているのは何のため？」
　ー「水をフィルターに通して（仕組み），きたない水をきれいにするため（機能）」
「貝があるのは何のため？」
　ー「コケを食べて（仕組み），コケをとりのぞくため（機能）」

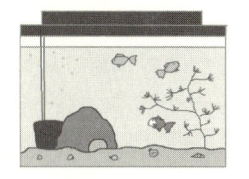

といった例が提示されました。
　研究には中学2年生が参加し，50分の授業が3回行われました。「仕組みと機能」に着目したり，「何のため質問とその答」を考えながら読むとよいということが説明され，例文を用いてこうした読み方の練習をしました。その結果，こうしたポイントに気をつけながら読むことで読解が深まることが，テスト成績や

第7章 言語活動について…考えた

ワークシートへの書き込みから確認されました。

　2つの研究は，例文だけを見ると丁寧な話型指導のようです。しかし，これらの話型は質問や説明の行儀作法にとどまらず，説明文やテキストを自問自答しながら読んでいくための，「思考の型（コツ，スキル）」になったのです。

ツボ

どの教科にも，「こういうふうに読んでほしい」とか「こんな視点で考えてほしい」というポイントがあるはずだ。「自分の言葉で説明しよう」というだけでなく，こうしたポイントを教えることが大切だ。やがてそれは，児童生徒自身の思考の型（コツ，スキル）として生かされることが期待できる。

近くのツボ

思考の型を教えるということは，一種のメタ認知的知識を教えることとも言えます。メタ認知的知識については，3-1をご覧ください。ここで紹介した2つの実践では，生徒が学習する上での足場が上手にかけられているとも言えます。足場かけについては3-6で取り上げています。また，2つの実践では，思考の型を冊子で教えていました。けれど先生自身がモデルとなって，考え方をやってみせることも効果的です。そのことは6-4で強調しています。

(注) 研究の詳細な内容について，清河幸子さん，犬塚三輪さん，深谷達史さんからご教示をいただきました。感謝申し上げます。

7-6 思考スキルと思考ツール

　学校ぐるみで，児童の思考力を育む言語活動に取り組んでいる学校があります。新宿区立大久保小学校や関西大学初等部です。

　関西大学の黒上晴夫さんは，小学校での学習に望まれる思考を「多面的に見る」「順序立てる」「焦点化する」「比較する」「分類する」「理由づける」など19の「思考スキル」として整理しています。さらに，そうした方向に頭を働かせやすいように，さまざまな図表を「思考ツール」として活用することを提案しています。例えば2つの事柄を「比較する」ときには「ベン図」を用い，AとBの似ている点をベン図の交わるところに書きます。ベン図の交わっていないスペースには，AとBそれぞれ独自の特徴を書き込みます。集合関係を表すベン図ではありませんが，それを「比較」に転用していると考えればよいでしょう。

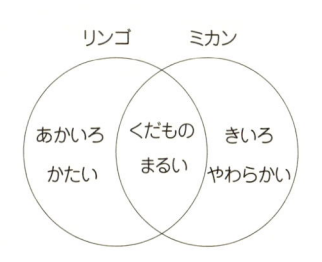

■ 思考ツールに期待する

　思考スキル・思考ツールを生かした実践の様子は，田村学さんと黒上晴夫さんの著書『考えるってこういうことか！「思考ツール」の授業』に詳しく紹介されています。こうした取り組みは，その授業の目標を達成する上でも，さらにその日の授業に限定されない思考力を育成する上でも，成果が期待されます。それは次の理由からです。

　第一に，思考スキルを明確にすることで，単に「よく考えましょう」「もっと考えましょう」「友だちと一緒に考えましょう」といった曖昧な指示ではなく，どう考えることが必要かという方向を示してくれています。

　第二に，思考ツールを使うことで，互いの考えが共通の土俵に乗せられ，見えやすくなります。その結果，子ども同士の話し合いも充実します。

　第三に，教師自身が，この単元で何を学んで欲しいのか，そのためにはどのス

キルやツールを使って考えることが有効か検討することを通して，教材研究が深まります。

第四に，学校全体で取り組むことにより，学年や教科をまたいで，思考スキルや思考ツールの使い方を時間をかけて学ぶことが可能になります。

■ 思考ツール導入時の心配

けれどもいくつか心配な点もあります。これはすでに行われている実践に対する心配というよりも，他の学校がそれらを参考に取り入れようとしたときの心配です。

本書の他のところでも述べましたが，研究熱心な先生方の中には，新しいツールを（ここで紹介した比較的ソフトなツールだけでなく，情報機器のようなハードなツールも含めて）授業に取り入れることに熱心になるあまり，ツールという手段が目的化してしまうこともあります。そうではなく，ツールはあくまで，学習目標を達成するための道具です。ある学習目標に達するためには，こうした思考を働かせてほしい，そのためにうまいツールはないか，という視点で，こうした実践を参考にされるとよいと思います。

その際，実際にご自分で使ってみて，その利便性だけでなく，かかる時間やコスト感（面倒くささ）などを十分に検討されることをお薦めします。田村学さんたちの著書では，思考スキル・思考ツールを使った実践の様子やメリットだけでなく，デメリットも検討されています。

思考スキルや思考ツールの多さも気になります。田村学さんたちの著書では，小学校で求められる思考として19の思考スキルを設定し，それぞれに別々のツールが用意されています。例えば，「多面的に見る」には"Xチャート"や"くま手チャート"，「順序立てる」には"ステップチャート"，「焦点化する」には"ピラミッドチャート"，「比較する」には"ベン図"，「分類する」には"ベン図"や"座標軸"，「理由づける」には"クラゲチャート"や"フィッシュボーン"…といった具合です。子どもたちは，これだけ多くのツールに慣れて，自分で使いこなせるようになれるでしょうか。素人がいろいろな種類の包丁をキッチンに揃えたものの，いつも使うのは1〜2種類だけ，ということにならないでしょうか。

おそらく思考スキル・思考ツールの実践を行っている学校でも，すべての学

年，すべての教科で，19のスキルとツールを活用しているとは思えません。学年，教科，学習目標に応じて，適切なツールを絞り込んで，取捨選択することが必要でしょう。関西大学初等部では，31の思考スキルを19に整理し，さらにその中から教科横断的に活用できる6つ（比較する，分類する，関連づける，多面的にみる，構造化する，評価する）を抽出して，こうした思考スキルそのものを学ぶ授業「ミューズ学習」を実施しています。

最後に，どのツールについても，使い方に慣れて「これで考えたらうまくいった。他の場面でも使ってみよう」となるには，それ相応の経験が必要です。思考スキルや思考ツールの使い方を，先生がモデルになって示しながら，さまざまな教科で繰り返し使うことが必要でしょう。そうしなければ子どもにはコスト感が高いままで終わってしまいます。

ツボ

単に「考えなさい」ではなく，どう考えるかを明確に指示すること，考えやすくするための道具（ツール）を工夫することが大切だ。また学校ぐるみでこうしたことに取り組むことで，学年や教科をまたいで，思考力を身に付けることが可能になる。安易に道具だけを拝借してちょっと真似ても，効果は薄いだろう。

近くのツボ

さまざまなツールの使い方や学び方については，第9章でまとめて扱います。頭の使い方もツールと考えると，2－5や3－6も関連するツボと言えます。また，手段が目的化することの危険性は，7－1を初めとして第7章と第9章の随所で指摘しています。

第8章
グループ学習について…考えた

　一人で考えるのではなく，隣の友だちと意見交換をしたり，グループで話し合ったり，その結果をクラス全体で発表させるという活動は，頻繁に行われています。こうした活動は，「言語活動」の1つとして多くの学校で推進されています。しかし現在の学習指導要領で「言語活動」が強調される以前から，ごく日常的に行われてきたことです。

　けれども「どうも話し合いが深まらない」という問題や不満も，多くの先生方から出てきます。どうすればグループでの学習が効果を発揮するのか，考えました。

　なおこうした活動には，班学習，グループ学習，小集団学習，協同学習，学び合い，協働的な学習，学びの共同体，学習集団…と，さまざまな名前が付けられています。それぞれ理論的・歴史的な経緯があるのですが，ここでは詳しい経緯には立ち入らず，複数の児童生徒が相互交流しながら進める学習のことを，グループ学習あるいはグループ活動と呼ぶことにします。

8-1 １＋１＋１が３にならない

「学び合い」とか「協同学習」といった言葉が最近よく聞かれます。学校ぐるみでこうした学習に取りくむところもあるようです。一人で勉強するのではなく，互いに支え合い，教え合い，学び合う…なんと，甘美な響きでしょう。

ほんとうに「三人寄れば文殊の知恵」か？

学校に限らず，日本では「三人よれば文殊の知恵」（人間は愚かだが，三人集まれば文殊菩薩のような優れた知恵が生まれる）という諺があります。フランスの文豪アレクサンドル・デュマの名作『三銃士』は，「一人はみんなのために，みんなは一人のために」と，互いに協力し合うことの大切さを高らかに謳い上げています。小学校１年生の国語「大きなかぶ」では，家族と動物が力を合わせて大きなかぶを引き抜きます。こんな具合に，力を合わせることで，すばらしい成果が得られることを，私たちは期待しています。

けれども多くの先生方が，「グループでの学習がなかなかうまくいかない，深まらない」といった悩みをお持ちのようです。授業を参観していても，

▶自分の意見を一言も言わなかったり，声が小さくて聞こえない。
▶いつのまにか話し合いからおしゃべりに変わっている。
▶低いレベルの学習で満足して，「できました～」と澄ましている。
▶安易に多数決で決めている。
▶一部の優秀な生徒が一人で取り仕切り，他の生徒は置いてけぼりになっている。

といった様子が見られます。

人は集まると怠け者になる

実は心理学の研究では，何人もで一緒に課題に取り組んでも，必ずしも優れた成果が得られるわけではないことがわかっています。「三人よれば文殊の知恵」どころか，１＋１＋１が３にならないのです。実際の研究例をみてみましょう。

最初は文字通り「力を合わせる」作業。これはマックス・リンゲルマンという

農業技術の教授が，1920年代に行った実験です。リンゲルマンは参加者に，1人で，あるいは3人とか8人でロープを引っ張ってもらい，どのくらい力が出たかを測定しました。その結果，1人だと63kg，3人だと160kg，8人だと248kgの力が出ていました。「問題ないじゃない？人数の多い方がたくさん力が出ているじゃないか」と思うかもしれません。でもよく見てください。一人で63kgなら，単純に3倍すると189kg，8倍だと504kgの力が出るはずです。明らかに，人数が増えるほど，一人あたりの力が減っています。こうした現象は「社会的手抜き」と呼ばれています。

人は集まると頭が働かなくなる

次は頭を使う課題です。グループのメンバーが集まってアイディアを出すときに「ブレーン・ストーミング」という方法が使われることがあります。これは「他者のアイディアを批判しない」「自由なアイディアを求める」といった原則のもとで，自由な雰囲気をつくり，たくさんのアイディアを出していく方法です。しかしこの方法の有効性にも疑問が持たれています。さまざまなアイディアを持っているメンバーが集まったにも関わらず，会議が終わってみると，それほど多くのアイディアが出なかった，というケースが多いのです。

最後は私が経験した，極めつけのケース。授業でこういう課題を出しました。

> **課題**　「丸暗記は覚えた範囲の知識にしか役立ちませんが，論理や理屈を覚えると，その論理が根底にあるものごとすべてに活用できます。」この文章の具体例を考えましょう。例えば私（佐藤）は子どもの頃，「ハムエッグを作るときは最初に油をしく。ベーコンエッグのときには油をしかない」と教わりました。これだけだと丸暗記で，この知識はハムエッグとベーコンエッグにしか使えません。しかし「ベーコンは油がしみ出る。だから油をしかなくてよい」と考えると，「食材が油を多く含んでいる場合は，フライパンに油をしかなくてよい（油は少なめでよい）」という論理が引き出されます。これはあらゆる料理に応用できます。こうした具体例を紹介してください。

受講生にはまず一人で考えさせました。そのあと三人一組になり，もっとも説得力のある回答を考えてもらいました。あるグループはこう回答しました。

「レンジにスプーンを入れてはいけない」は丸暗記だが、「金属は電気を通し軽い爆発が起きる」と理屈を考えると、「金属類はレンジに入れてはいけない」となる。

実に適切な回答です。しかし次のような答を書いたグループもありました。

切手は水分があると粘着力が生まれる。封筒でも水分を付けると粘着力が生まれるものがある。「糊」ではなく水分をつけると、粘着力が生まれる。

切手や封筒には糊が付いているんです‼ 問題は、この答が一人のおっちょこちょいから提出されたものではないということです。三人一組ですから、これを提案した人が一人いて、「あ、それいいね！」と納得した人が二人いたということです！ 三人寄れば…。

■ グループでの活動がうまくいかない理由

では、どうしてこのように、人が集まることで、かえって課題がうまくいかなくなったり、期待されたほどの成果が得られなかったりするのでしょう。次のようなことが、集団での話し合いの中で起こっていると考えられます。児童生徒のグループ学習だけでなく、職場での会議やミーティングを思い浮かべながら読んでください。

- ▶自分の意見が不確かなときに、大勢の意見に賛成してしまう。
- ▶自信がなかったり、「自分が言わなくても」という気持ちから、意見を出し控える。
- ▶正しい意見ではなく、大声で発言する人の意見が採用される。
- ▶他者の発言が邪魔になって、自分の考えをまとめることができない。
- ▶みんなが知っている話題に話が集中して盛り上がるが、そのためかえって、新しいアイディアが出にくくなる。
- ▶とりあえずの答が出れば、それ以上は検討しない。

一人一人が持っているアイディアの3割は、グループでの話し合いの場に持ち出されないというデータもあります。グループやチームを作れば、自然と互いに協力し高め合う関係になるわけではありません。そうなるには、そうなるだけの工夫が必要です。

8-1 １＋１＋１が３にならない

ツボ

授業中に隣同士あるいは小集団で学習活動に取り組ませることは多い。けれどグループを作れば自然に刺激し合い高め合う授業になるわけではない。むしろグループで活動することで、学習が阻害されることもある。集団の力を発揮させるには、それ相応の工夫が必要だ。

近くのツボ

グループでの学習をうまく進めるツボは、この章で詳しく考えます。また言語活動では、他者に向かって説明したり質問する場面、他者と一緒に考える場面がたくさんあります。第7章も参考にしてください。

8-2 まず安心感・信頼感

何人かの児童生徒を１つに集めて「さあ，話し合ってごらん」と指示しても，それだけで話し合いが活発に行われ，学習が深まる可能性は小さいと言えます。では，グループでの学習が効果を発揮するには，どういう条件が必要でしょうか。私はその条件を，車のエンジンと両輪にたとえて考えています。

両輪については８－３と８－４で改めて考えることとします。まず話し合いが始まるには－車のエンジンがかかるには－，安心してやりとりできる場であることが必要です。自分の考えに他の人が耳を傾けてくれる，少しばかり的外れな意見でも笑われない，自分たちの意見が授業の中で取り上げられて生かされる…そういう安心感です。

私が中学生だった1970年代半ばに嫌な言葉が流行しました。「しらける」という意味の「しらー」という言葉です。誰かが発言すると，他の生徒が「しらー」。これでは何か発表しようという気にはなれません。

授業の目標
8-3
8-2
安心感
信頼感
細やかな配慮
8-4

「はいはい授業」でよいでしょうか？

「いえ，私のクラスでは子どもは安心して，元気よく自分の意見を発表しています」とおっしゃるかもしれません。確かに児童が「はい！　はい！　は～い！」と元気よく挙手する姿をよく見かけます。けれど，こんな様子は見られませんか？

Ａくん・Ｂくん・Ｃさん他「はい！」「はい！」「は～い!!」
教師「はい，Ａくん」
他の児童「あー，なんでだようぅ」
Ａくん「～～です」
他の児童「（がっかりした様子で）先に言われちゃったぁ…」

この授業，発表は活発かもしれませんが，話し合いを通じて学習が深まるとい

う姿にはまだ遠いようです。こういう授業を「はいはい授業」と呼ぶ人もいます。ここには、「指名された者が勝ち」とか「人の話を聞くより、自分が話したい」という子どもの気持ちが表れています。けれど、多様な意見をもとに学習を深めるには、誰の意見かということより、その意見の内容の方が大切なはずです。

　イギリスの言語学者ニール・マーサーたちは、教室での児童生徒の話し合いを分析して、競争的・累積的・探究的という3タイプに分類しました。競争的話し合いとは、相手の話を聞かずに、てんでに自分の意見を主張している状態です。累積的話し合いとは、とりあえず情報を出し合い共有できている状態です。そして探究的話し合いとは、自分たちが出し合った考えを批判的に検討し、そこからよりよいアイディアを導き出したり、みんなが納得した上で結論に達している話し合いです。「はいはい授業」は、競争的な話し合いの1つと言えるでしょう。

対話を信頼できるか

　安心感と同時に、他者と対話するという活動そのものに「信頼感」を感じていることも大切です。それは例えば、「他の人の話を聞くと、いいことがあるぞ」「自分一人よりも、相談しながら進めた方が、良い結果が得られそうだ」「ちょっと不十分な考えだけれど、発表すれば、他の人が助けて一緒に練り上げてくれる」…こういう気持ちです。

　協同学習を専門に研究している長濱文与さんたちは、児童生徒が協同作業に対してどういう意識を持っているかを調べるアンケートを作成しました。その一部を紹介しましょう。

- ▶一人でやるよりも協同した方が良い成果を得られる。
- ▶グループ活動ならば、他の人の意見を聞くことができるので自分の知識も増える。
- ▶グループのために自分の力（才能や技能）を使うのは楽しい。
- ▶みんなで一緒に作業すると、自分の思うようにできない。
- ▶優秀な人たちがわざわざ協同する必要はない。
- ▶知らない人と一緒に仕事をするのは気が重い。

第8章　グループ学習について…考えた

最初の3つは協同作業に対する肯定的な気持ち，あとの3つは不安や不満を調べる項目の例です。こういうアンケートを活用するのも，クラスにおける安心感や信頼感の実態を把握するには有効でしょう。これに関連したアンケートは他にも開発されています。安永悟さんの著書『実践・LTD話し合い学習法』をごらんください。

F先生の実践

中学校で3年の担任をしている国語のF先生の実践を紹介しましょう。このクラスの生徒たちは，パネルディスカッションやディベートのように周到に準備をした上で「話す・聞く・話し合う」ことはできます。けれどもF先生は，日頃の授業の中での意見交換やグループ学習はなかなか深まらないことを課題と感じていました。

そこでF先生は，生徒に上から目線で指示したり命令することを極力控え，生徒自身に意見を出させて話し合わせる機会を増やすという方針で，授業やクラス運営に取り組みました。そして2〜3ヶ月おきにアンケートを実施し，話し合うことに対する意識の変容を捉えました。その結果，半年間で，

▶緊張せずに話し合いに参加できる。
▶自信を持って意見を言える。
▶他の人の意見をよく聞いている。
▶互いに意見や情報を出し合えている。
▶意見と一緒に理由を述べている。

などのプラスの変容が認められました。安心感とともに，累積的な話し合い（互いに意見や情報を出し合う）や，探究的な話し合い（理由を述べる）をする態度が育ってきたことがわかります。またこうした変化は，4月当初に話し合いに消極的だった生徒でも確認されました。

F先生が喜んだことがもう1つあります。F先生は常々生徒に，「意見を言いっ放しにするんじゃなくて，理由や説明をつけないと相手に伝わらないよ」「なんで？　って質問することから話し合いが深まるよ」と話していました。そしてそのクラスではいつしか，こうした話し合いのコツは，「なんで攻撃」と呼ばれるようになりました。しかも「なんで攻撃」は，年末の学級活動で「クラスの流行語大賞」に選ばれたのです。

8-2 まず安心感・信頼感

ツボ

児童生徒が競い合って活発に意見を言っていても，そのことが即，優れた話し合いになるとは限らない。相手の意見を尊重すること，相手の意見に耳を傾けること，相互のやりとりから学ぶことが大切だという意識が，優れたグループ学習の土壌として必要不可欠だ。

近くのツボ

ここで述べたことを10－2では，もう少し広い視点で考えています。またF先生の実践は，6－4と10－4でも紹介しています。

8-3 全部の授業でラリー・ロビンを?!

　グループ学習という車を走らせる両輪について考えます。
　授業に学び合いや話し合いをとりいれてみたけれど，どうも学習が深まらない，話し合いが活発に展開しない…こうした悩みを抱える先生の中には，ネットで実践事例を探したり，書店で書籍を手にとってごらんになる方も多いと思います。

■ 話し合いの方法あれこれ

　そこでこうした関係の本を広げてみると，耳慣れない言葉がやたらと並んでいます。ちょっと拾ってみましょう。ジグソー，雪玉ころがし，お話切符，ラウンド・テーブル，ラリー・ロビン，ライト＝ペア＝シェア，ワールド・カフェ，ペア・シェア…。
　これらは実は，グループでの話し合いを充実させるために考えられた方法や活動の名前なのです。
　例えば「ジグソー」は，グループのメンバーが手分けをして学習したことを持ち寄り，それを互いに教え合うという方法です。ピースが1つ欠けてもジグソーパズルは完成しません。それと同じでメンバーが一人欠けたら，グループとしての学習は成立しません。
　「ラリー・ロビン」は，二人一組で交互に意見を述べていく方法です。テニスのラリーのように，アイディアが二人の間を行き来するところから，こう名付けられました。三人以上で意見を述べていく場合は，「ラウンド・ロビン」と名前が変わります。

■ ケーガン・ワークショップに参加して

　スペンサー・ケーガンという，協同学習の専門家がいます。彼はもともと心理学の研究者でしたが，今では協同学習に役立つこうした技法をたくさん開発

し，それを先生方に教えることを仕事にしています。詳しくは彼のHP（http://www.kaganonline.com/）をご覧ください。

　私もケーガンさんのワークショップが日本で開かれたときに参加しました。彼のワークショップでは最初に「どうしてこのワークショップに参加したのですか。隣の人と意見交換しなさい」と指示されます。しばらく意見交換した後，こう問われます。「今のような話し合いを授業でもよくやります。これは協同学習でしょうか？　そう思う人は手をあげてください。」参加者はほぼ全員が挙手します。

　するとケーガンさんは，こう話します。「今のは協同学習ではありません」「説明すると，説明した人の学習が深まります。一人だけが説明し続けるかもしれない方法では，一人の学習しか深まりません。それでは協同にならないのです」「ではどうすれば双方が平等に意見を出し合えるでしょうか？　それは…」さすが，ビジネスにするだけあって，うまいものです。

　「全員で力を合わせて！」「自分の意見を積極的に話して！」「相手の言葉に耳を傾けて！」「みんな平等に！」…先生がこう指示しても，なかなかそうなりません。そこでこうしたことが実現されるように，グループでの話し合い方や課題に工夫を凝らしたのが，ケーガンさんの特長です。

■ ケーガン「技法の百貨店」お薦めの三品

　彼は二百以上もの方法を考案し，「技法の百貨店」などとも呼ばれています。ごく初歩的な方法としてワークショップで取り上げられるのが，次の3つです。いずれも，参加者に平等に発言の機会が与えられていること，指示がきわめて具体的であること，まず各自が考えることに注意してください。

〈ペア・シェア〉
　①教員がトピックを指示する。
　②各自が考える。
　③一人が話す。もう一人は傾聴する。
　④交替する。

〈タイムド・ペア・シェア〉
　①教員がトピックと，一人がどのくらいの時間話すか，指示する。
　②各自が考える。

③一人が話す。もう一人は傾聴する。
④交替する。

〈ラリー・ロビン〉
①教員が複数の答が可能なトピックを指示する。
②各自が考える。
③交互に答をあげていく。

さて，自分の授業でのグループ活動に行き詰まった先生がこうした情報に触れると，どうしても真似したくなります。ワークショップの最後の振り返りの時間で，私の近くにいた小学校の先生がこう言っていました。「新学期からはラリー・ロビンを使いまくりたい！」

目標と道具の相性を考えよう

この先生，ラリー・ロビンを使うことが目的となっています。けれどもまず考えるべきは，授業の目標。その上で，目標を達成するためにどういう活動（道具）を使えば効果的か，考えなければなりません。では，次の質問に対して児童が自分の意見や答を述べるには，ペア・シェア，タイムド・ペア・シェア，ラリー・ロビンのどれが適しているでしょうか。

> 問題
> 問1「24の約数は何でしょう？」
> 問2「この物語の中で，自分と一番よく似ている登場人物は誰かな？　どうしてそう思ったのかな？」

問1をペア・シェアやタイムド・ペア・シェアでやったら，一人が答えておしまいになってしまいます。「1, 2, 3, 4, 6, 8, 12, 24」という答を，それこそテニスのラリーのように交互にあげていくラリー・ロビンが適しています。一方，問2はそれほど多くの答が出ないでしょう。けれど下手をすると，一人が長々と話して止まらなくなるかもしれません。するとタイムド・ペア・シェアが適しています（もちろん時間に十分余裕があればペア・シェアでもかまいません）。

私たちはついつい，新しい道具を手に入れると，目標を忘れてしまい，道具を使うことに夢中になることが多いのです。大切なのは，授業の目標が明確で，そこに向かう手段としてグループ活動が位置づけられていること。グループ学習を

車にたとえるなら，これがグループ学習を走らせる，一方の車輪です。

ツボ

まず授業の目標を明確にすること，そのための教材研究をしっかりすることが肝要だ。その上で，目標達成のためにどういう学習活動が有効かを考える。そのときグループでの活動は選択肢の1つに過ぎない。魅力的な実践事例に刺激されて，やたら目新しい活動を取り入れることは自制しよう。

近くのツボ

説明によって学習が深まることは，7－2で取り上げました。手段の目的化については，7－1を初めとして，第7章と第9章の随所で指摘しています。

8-4 目標を実現するための細やかな配慮

　グループ活動を通じて学習目標を達成するには，活動をしやすくしたり，そこで話し合いが深まるような，細やかな配慮が必要です。逆に，ちょっとした配慮が足らなかったばかりに，グループ活動がうまくいかなかったり，その成果が授業に生かされない，ということが起こります。こうした配慮は，グループ学習を前に進める，もう1つの車輪です。6つの配慮を取り上げましょう。

■ どういう課題に取り組むか

　簡単すぎる課題なら知恵を集める必要はありません。束になっても太刀打ちできない難しい課題だと，最初からやる気が失せてしまいます。ちょっとだけ手強そうな課題が，好奇心や動機を刺激します。

　もう1つ大切なのは，グループとして何をするのか，指示を具体的に与えることです。「話し合いなさい」ではなく「グループの意見を1つにまとめなさい」とか，「その意見を理由を付けて他のグループに説明できるように準備しなさい」というくらいの具体性が必要です。

■ 何人で取り組むか

　よく「4人が最適」という意見を聞きます。しかし4人にこだわる必要はありません。2人で済む課題なら（例えば個別に求めた解答をつきあわせて答合わせするなど）2人で十分です。意見や発想の多様性が求められるなら，もう少し多い方がよいでしょう。しかし多すぎると，たくさん出てきた意見や考えをまとめられなくなります。その点では，「4人」という目安には意味があります。

■ 誰と取り組むか

　格好良く理屈を言えば，「多様なメンバーの協同作業から新たな発見が生まれる」ということです。しかしいつもいつも，事前に意見や理解度を確認してグループ構成を考えるのは，手間がかかります。ですからクラスの中の普段の生活

班でかまいません。それでも多様性は確保できるでしょう。生活班で学習のグループを組むようにすると、欠席した児童生徒に対するフォローもやりやすくなります。自分が休んだときのことを誰に尋ねたらいいか、わかるからです。

■ 机の配置も一工夫

人数とも関係しますが、机の配置も配慮が必要です。例えば5人の場合。右のような配置だと、Eさんが他の4人から離れてしまい、活動に参加しにくくなります。Eさんの机は取っ払って、4人の机に詰めて座る方がよいでしょう。こうした配慮については杉江修治さんが、著書『協同学習入門：基本の理解と51の工夫』の中で詳しく取り上げています。

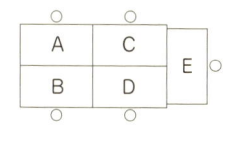

■ 自分の考えを持った上で

突然「互いの意見を交換して」と言われると、大人でも戸惑うでしょう。まず各自が自分の意見を持ち、その上で、それらを持ち寄ることが大切です。

しかし学力が低い児童生徒の場合、自分の意見を持ちにくい。どうすればよいでしょうか。

国語ではよく「このときの主人公の気持ちを考えて書いてみましょう」といった課題が提示されます。得意な児童はすらすら書けますが、語彙が乏しい児童では、なかなかそうはいきません。そこで小学校3年生を担任するN先生は、喜怒哀楽いろいろな表情を印刷した付箋を用意し、「この場面での主人公は、どんな表情かな」と問いかけました。付箋には表情と一緒に、「がまん」「やるぞー」「えっ？」「ほっ、よかった」「うわー、こわいよ！」などの生き生きした台詞も添えられています。児童はその場面の主人公の気持ちに合った表情を選んで、付箋をワークシートに貼っていきます。これなら言葉で表現するのが苦手な児童でも取り組めます。その上で4人のグループになって互いに、ど

の表情を選んだのか,どうしてそう考えたのか,話し合いました。使った表情にバリエーションがありますから,4人が共通して選んだ表情だけでなく,一人だけが選んだ表情もあります。「なんで?」「ほら,教科書のここに…」自然と本文に即した話し合いが繰り広げられていきました。

道具を使って話し合いを「見える」化する

　口頭の話し合いだけですと,何を話したのかわからなくなります。そうならないためにも,話し合いのプロセスや,そこで出てきた内容が見えるように,付箋やホワイトボードなどを使うといいでしょう。付箋はあまり小さすぎず,余裕を持って書き込めるサイズが適しています。また1枚の付箋に必ず1つのことしか書き込まないことが大切です。あとでたくさんの付箋を比べたり並べ直したりしますから。

　こうした道具を使うことは,「安心感」にもつながります。発言ですと,声の大きさが議論を左右することがあります。しかし付箋に意見を書いて貼ると,「誰」の意見であれ,とりあえずは話し合いの土俵に乗ります。また,「誰」の意見かということよりも,「付箋の内容」の方に注意が向きやすくなります。

　会議やミーティングを充実させる技法として,最近「ファシリテーション」というものが注目されています。こうした道具がファシリテーションには必須です。ファシリテーション自体は大人の世界で始まったものですが,学校にも導入されてきています。

ツボ

> ちょっとしたことが授業の流れやリズムを左右する。限られた時間の中でグループ学習がスムーズに進んで成果を上げるには,教師の側の細やかな配慮が欠かせない。授業の前にグループ活動を頭の中でシミュレーションしてみたり,実際に自分でも試してみることが大切だ。

近くのツボ

ここであげた配慮の多くはグループ活動でなくとも，授業にとって大切なことです。指示の具体性は6－1と6－2に重なります。道具を使った見える化は，7－6や第9章のあちこちとつながります。そして，各自が自分の考えを持てることは，すべての授業の基本条件です。

8-5 「楽しい話し合い活動」から「充実した学び」へ

　話し合いを活発化させたいと願う先生たちは，時々，授業以外に学活の時間を使って，「話し合い活動の取り立て指導」を試みます。テーマを決めて話し合いを行わせ，話し合いの方法を学ばせようというわけです。しかしこういう場面で話し合いの方法を学んでも，授業での話し合いになると口が重くなる…ということが多いようです。どうすればよいでしょうか。

　こうした取り立て指導では，教科の学習と違い，ゲーム的な要素の課題を使うことが多くあります。例えばこんな課題です。

> **課題**
> ▶話し手が手元の絵を見ながら説明し，聞き手がその絵を描いて再現する（図形伝達課題）。
> ▶各自にバラバラの情報を渡しておき，それらを集めることで答が導けるような課題。例えば商店街の店舗7軒の情報（「Aさんは花屋です」や「Bさんの店は西から3軒目です」など）を各自がバラバラに持っており，それらを集めて整理して，「西から2軒目は何屋か」といった問題に答える（商店街課題）。
> ▶正解が1つに定まらないテーマで話し合う。例えば，雪山に飛行機が不時着したときに，飛行機から運び出す品物を選ぶ（サバイバル課題）。

　こうした課題（活動）は，ソーシャル・スキルやコミュニケーション・スキルの育成のために考案されたものが多く，よく工夫されていますから，みんなは夢中になって取り組みます。

■ ゲームの感想だけでは次に生かせない

　さて課題のあとで，「どんなふうに話し合ったらうまくいった？」と尋ねると，「何センチという数字をきちんと言った」（図形伝達課題），「最初に全員のカードを並べて整理した」（商店街課題），「雪山登山の経験があるB君の話が参考になった」（サバイバル課題），などの感想がたくさん出てきます。

　けれどもこれらはその課題に限定の感想であり，他の課題や教科の学習に生かせる（転移できる）ものではありません。そこで，こうした感想から，多くの場

8-5 「楽しい話し合い活動」から「充実した学び」へ

面で生かせるように，ちょっと抽象化したコツや教訓を引き出さなければならないのです。生の感想とコツを対応させてみましょう。コツや教訓を引き出すのが難しければ，教師が言い換えてもいいと思います。

感　想	コツ（教訓）
何cm，という数字をきちんと言った。	自分の意見を具体的に詳しく説明する。
最初に全員のカードを並べて整理した。	自分が知っていることを積極的に出し合う。
雪山登山の経験があるB君の話が参考になった。	詳しい人は積極的に説明してあげる。他の人はどんどん質問して，情報を引き出す。

さらに，コツが引き出されてもそれだけでは，学んだことが教科の授業で生きる可能性は低いと思います。5－2で述べたように，学んだことを積極的に生かそうという姿勢を，児童生徒に伝えなければなりません。

■ TTP－協働思考プログラムで話し合いのコツをつかむ

8－2で，イギリスの言語学者ニール・マーサーが子どもたちの話し合いを「競争的」「累積的」「探究的」と分類していることを紹介しました。探究的とは，互いの意見を出し合い，建設的な批判や検討を踏まえて，よりよい考えにたどり着くような話し合いです。マーサーたちは探究的な話し合いがクラスの中で定着するように，Thinking Together Programme（TTP：協働思考プログラム）というプログラムを開発しました。話したり聞いたり話し合うのに大切な事柄に気づくことを目指す，まさに，「話し合いの取り立て指導」のプログラムです。日本では関西大学の比留間太白さんが，このプログラムを小学校に導入し，実践と成果を報告しておられます。

TTPでは，さまざまな活動（その中には，先ほど紹介したゲーム的なものも

含まれています）を通して，次のようなルールを引き出すことを目指しています。

①関連するすべての情報を共有する。
②グループは同意に達することを目指す。
③グループは意志決定の責任を負う。
④発言の際に理由を言う。
⑤反論（挑戦）を受け入れる。
⑥決定する前に他の案を検討する。
⑦互いに発言を促す。

これらは「グラウンド・ルール」と呼ばれます。教室というホームグラウンドで守るべきルール，という意味です。ただし，厳密なルール＝規則というよりは，話し合いをうまく行うための「コツ」と考えた方がよいかもしれません。グラウンド・ルールは教室内に掲示され，教科の授業で話し合うときにも，このルールを意識させます。8－2で紹介したF先生のクラスの「なんで攻撃」は，④（理由を言う）がクラスのグラウンド・ルールとして定着して，いろいろな場面で生かされた実例と言えるでしょう。

■ 改めて細やかな配慮を

最後にもう1つ。学活の楽しい活動では，ただの思いつきでも発言できます。しかし教科ではそうもいきません。そこで話し合いが停滞したり深まらないのは，課題が難しすぎたり，互いの意見を出そうという意欲が持てなかったりする（話し合う気になれない課題である）ことが，大きな原因です。先生は，「話し合い」に丸投げするのではなく，話し合う必然性のある課題を設定してください。そして，どの子どもも考えを持てるような支援を考えてください。教師からの説明は十分か，指示は具体的か，個人で考える時間はちゃんと確保されているか，考えるための道具は用意されているか，道具の使い方はわかっているか…8－4で取り上げたことを，改めて意識していただければと思います。

8-5 「楽しい話し合い活動」から「充実した学び」へ

ツボ

取り立て指導で活発な話し合いが行われても，そこで意識したことがそのまま授業の話し合いに生かされるとは限らない。授業に生かせる（転移する）コツや教訓を引き出すこと，そしてそれらを実際に授業でも意識して使い，定着を図ることが大切だ。

近くのツボ

学習を生かしたり，適切なコツ（教訓）を引き出すことについては，5－2, 5－3, 5－4を参考にしてください。

第9章

道具について…考えた

　私が子どもの頃，授業で使うものと言えば，教科書，ノート，黒板，筆記用具が主流でした。たまに参観日や研究授業で，華々しくオーバーヘッド・プロジェクターやビデオが使われたものです。

　教科書，ノート，黒板という主役はいまも健在ですが，それに加えてパソコンや書画カメラ（実物投影機）が備えられています。児童生徒の机の上には，教科書，ノートに加えてワークシートが広げられています。また，付箋を使った学習活動も珍しくありません。

　こうしたさまざまな道具は，人間の思考の限界を補ってくれます。しかし同時に，使いこなせるまでに手間がかかることもあるようです。道具が生きた授業，道具に振り回された授業，いろいろな授業を参観し，その使い方を考えました。

9-1 見えません，とは言いにくい

　非常に緻密な指導計画を練っていても，ちょっとしたことでつまずいて，思ったとおりに授業が進まなくなることがあります。参観していて，「あ，痛っ！」と感じる瞬間です。私がそんな感じを抱きやすいのは，教師の用意した教材が児童生徒に「見えにくい」場合です。いくつか例をあげましょう。

■ 大きさや照明の加減で見えにくい

> **例1**　明るい陽射しが教室のモニターを柔らかく包み込み，画面が見えにくい場合があります。ことに，児童生徒が書き込んだワークシートを書画カメラで写す場合には，文字が薄いために，拡大しても見えにくい場合があります。

> **例2**　英語活動で，大きな絵本をALTの先生が広げて読み聞かせを始めました。日本人の先生は「さあみんな，前に集まって！」と声を掛けます。けれども後ろの方で動こうとしない児童がいました。「ここの方が見やすい」というのが，その言い分です。確かに前に詰めると，見上げなければなりませんし，前の児童が邪魔になることもあります。それでも先生は強引に前に追い立てていました。うーん，最前列が特等席とは限らないんですけど，ねぇ。

> **例3**　ノートPCをモニターに接続して画像を映そうとしても，なぜか，映らないことがあります。ある研究授業で（！），そうした事態が起こりました。先生はどうしたでしょう。この先生は書画カメラをモニターに接続し，ノートPCの画面を書画カメラに写すことで，なんとか凌ぎました。別の授業で，教育実習生の身に同じ災難が降りかかりました。彼女はなんと！　ノートPCを手に掲げて児童の間をまわりながら，用意した画像を見せたのです。参観していた私は心中思わず，「〇〇さん！　ナイス！」と高得点をつけました。

9-1 見えません，とは言いにくい

| 例4 | 数人のグループで1枚のワークシートをまとめ，それを前の黒板に掲示しました。ワークシートはたいていA4判かB4判なので，前に貼ると教室の後方には見えません（それ以前に，A4判くらいだと，グループで作業するのにも見えにくいことがあります）。そうかと言って，ワークシートの内容を大きな模造紙に書き写したのでは二度手間ですし，時間も足らなくなります。こういうときは最初から思い切って大きなワークシートを使えばどうでしょう。そのまま黒板に貼れば，後ろからでも十分見ることができます。 |

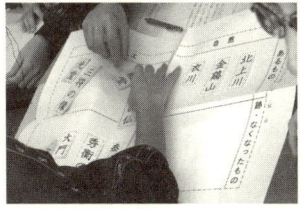

■ 心理的・認知的に見えにくい

ここまであげた4つの例は，字が小さかったりぼやけたりして，物理的に見えにくいケースでした。その他に，心理的・認知的に見えにくい，という例があります。

| 例5 | 小学校3年生の国語の時間。教科書の文章を先生が打ち直したワークシートが用意されていました。先生は同じものを模造紙にもプリントして，黒板に掲示しました。字は大きいのですが，けれどもなぜか，読みにくいのです。じっと見ていてそのわけがわかりました。左は教科書，右は先生の用意したワークシートや模造紙です。先生の用意したものの方が，1行が長く，文字と文字の間が空きすぎていることがわかります。一文字一文字ははっきり見えるのですが，全体のレイアウトのせいで，読みにくくなっています。わざわざ打ち直さなくとも，教科書をそのまま使えばよいのに…と思いました。 |

教科書のレイアウト
（光村図書『国語三上 わかば』, p.40）

先生の用意したもの

第9章 道具について…考えた

例6 　反対に、読みに障害のある児童生徒の中には、教科書のレイアウトが障壁になるケースもあります。こうした児童の場合、語のまとまりを認識するのが苦手で、一文字一文字読んでいくことがあります。ところが教科書のレイアウトでは必ずしも、単語の区切りと改行が一致していません。すると、行の区切りで切って読んでしまい、単語として認識し損なうということが起こってしまいます。小学校2年生を担任するT先生は、こうした問題を解消するために、言葉が途中切れにならずに読めるようにレイアウトを変えたり、「／」を入れて単語や文節のまとまりを強調した教材を工夫しました。

　　　冬の間に、たまごからさけの赤ちゃんが生まれます。大きさは三センチメートルぐらいです。その時は、おなかに、赤いぐみのみのような、えいようの入ったふくろがついています。やがて、それがなくなって、四センチメートルぐらいの小魚になります。

単語の区切れで改行したレイアウト

　　　冬の間に、／たまごから／さけの／赤ちゃんが／生まれます。／大きさは／三センチメートル／ぐらい／です。／その時は、／おなかに、／赤い／ぐみの／みの／ような、／えいようの／入った／ふくろが／ついています。／やがて、／それが／なくなって、／四センチメートル／ぐらいの／小魚に／なります。

切れ目に／を入れたレイアウト

　　　冬の間に、たまごからさけの赤ちゃんが生まれます。大きさは三センチメートルぐらいです。その時は、おなかに、赤いぐみのみのような、えいようの入ったふくろがついています。やがて、それがなくなって、四センチメートルぐらいの小魚になります。

教科書のレイアウト
(教育出版『ひろがることば小学国語2下』、p.16-17)

■ わかっている内容なら見えにくくても見える

　文字が小さくても、かすれていても、単語の途中で区切れていても、大人や、その内容に詳しい人には、難なく見たり読んだりすることができます。それはこうした不都合を、自分の知識や経験で補って、情報を認識することができるからです。ところが児童生徒の場合、そもそも知識や経験が不足しています。すると、画面の見え方や、教科書の文字のレイアウトなどが、学習のネックになることが起こるのです。私たちが日本語で会話を交わす場合には、少々聞き取りにくくても、騒音の中でも、相手の話が理解できます。それに対して英語を聞く場合

には，よほどクリアにゆっくり話してもらわなければ，すぐについていけなくなります。それと同じことなのです。

🖐 ツボ

> ちょっと見えにくいだけでも，児童生徒の思考にはブレーキがかかってしまう。物理的に「見えない」ことが起きないようにするには，事前に実際に写してみて，教室のあちこちから見え方を確認することが大切だ。読みに困難を示すケースの場合には，その障がいを適切に見取って対応することが必要だ。

🖐 近くのツボ

> 知識があれば，見えにくさを補うことができます。これは1-2で述べたトップダウン処理です。反対に，初めて学ぶ教材が見えにくいと，1-1で述べたように，それだけで脳はすぐに，イッパイイッパイになってしまいます。

9-2 ノートと黒板

　授業で使われる道具の中で、教科書以外にポピュラーなのがノートと黒板、そしてワークシートです。

■ ノート、5つの役目

　ノートは子どもと教師にとって、どういう役目を果たしているのでしょうか。おおむね次の5つの役目が考えられます。

①漢字を50回書く、計算ドリルの問題と答を書くなど、練習帳としての役目。
②板書や友だちの発言や自分の考えを書き写す、メモとしての役目。
③メモを参考にさらに自分の考えを深めたり広げたりする、思考ツールとしての役目。
④友だち同士で互いに見せ合って情報や考えを共有する、情報の外化ツールとしての役目。
⑤子どもの学習の様子を先生が見取るための評価ツールとしての役目。

　②〜④の役目は、きれいに切り離せない関係にありますから、子どもにとっては練習帳と思考ツールという大きく2種類の役目と捉えてよいでしょう。ここでは思考ツールとしてのノート（「思考ノート」と名付けます）に焦点を当てて、どういうノートが使いやすいか考えてみます。どんなノートだと、メモしたり、それを元に考えを深めたり、友だちと議論しやすいでしょうか？

■ 思考ノートとしての使いやすさ

　第一に、自分の思考が見えやすいノートです。そのためには、練習帳と思考ノートは別々のものとした方がよいでしょう。前時の思考と本時の思考の間に、宿題の書き取りなどが挟まっていると見えにくくなります。
　第二に、自分の思考や他者の発言、板書などの情報が探しやすいノートです。そのためには、

▶毎日、日付を書いておく。
▶前時の頁が余っていても、新しい日は新しい頁から書き始める。
▶「今日のめあて」「よそう」「自分の意見」などの見出しをハッキリ書く。

といったことが大切です。

　第三に，情報同士の関係，情報の重み，思考のプロセスなどが見えるノートです。そのためには，矢印，囲み，下線，箇条書き，ナンバリングなどが適切に使われていると効果的です。高校生・大学生を対象とした調査では，授業内容がよく理解できている生徒のノートは，こうした工夫をたくさん使っていることがわかっています。良いノートを学級通信などで紹介したり，先生がこうした工夫をやって見せたりして，工夫の仕方を教えることが大切です。

　第四に，書き込みができるよう，余白があるノートです。授業の後で調べたことを書き込むこともありますし，授業中に「？」とか「調べる！」といったメモを書き込むこともあります。1-5では算数の文章題を考えるステップを説明しました。4つのステップに即して，自分の考えや式，計算を書くスペースがあると使いやすいと思います。

　第五に，授業で狙っている思考が実現しやすいノートです。例えば算数で2つの解き方を比べて，どちらが良いか考えたりする場合には，見開き2頁を使って，左頁に1つの解き方，右頁にもう1つの解き方を書く，といった工夫が考えられます。こういう使い方をすると，余白が増えてしまいますが，それは仕方ないこととして割り切りましょう（家庭に説明しておくことも必要かもしれません）。

　最後に，それ一冊ですべてが済むノートです。例えば授業でワークシートを使うと，シートはシートでファイルされ，ノートとは別物として扱われることになります。すると，ワークシートとノートのつながりがわからなくなります。大人でもあちこちにメモを書くと混乱します。ワークシートを使うことも必要でしょうが，それは必ずノートに貼らせて，思考ノート1つを見れば学習の履歴がわかるようにしておくとよいでしょう。

　ノートを忘れてきた児童が，他の教科のノートに書き込んでいることがあります。こういう場合は，あとでそのページをコピーしたり切り取ったりして，正しいノートに貼り付けておくことが必要です。あるいはいっそ，小学校高学年くらいになったら全教科ルーズリーフを使うという方法も考えられます。

ノートが黒板の写生にならないように

　では，板書とノートの関係はどう考えればよいでしょうか。

第9章 道具について…考えた

　小学生は先生の板書を指示通り書き写します。このとき注意していただきたいことが2つあります。第一に，板書された情報を理解せずに，見たままを写生しているだけのケースがあることです。その結果，大切な内容を写し間違えることも起こります。

　小学校3年生の国語に「ミラクル　ミルク」という教材文があります（学校図書『みんなと学ぶ　小学校国語三年　下』）。この説明文でははじめに，「母親のミルクを飲んで大きくなる動物をほにゅう動物といい，犬・ねこ・牛・馬・くじら・いるかなどがいる」「人間もほにゅう動物だ」「人間だけは母親のミルクの他に，いろいろな動物のミルクを飲む」ということが説明されます。

　このことを先生は黒板に図で表しました。左が先生の板書，右がそれを書き写した，ある児童のノートです。写生としたら，ちょっとの違いです。けれど説明文の読解としては，大間違いです。

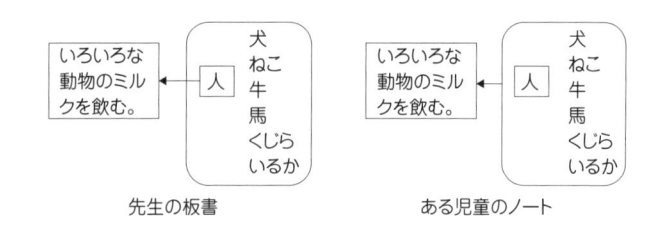

　　　先生の板書　　　　　　　ある児童のノート

　こんなことにならないために，時には先生が（あるいは児童同士で互いに）ノートを確認することが必要でしょう。黒板に書かれたことの「形」ではなく，「意味」を写すことが大切だと考えられるようになると，よいですね。

板書で情報整理の方法を教える

　第二に，優れた板書は，情報の整理の仕方を子どもに教える材料にもなります。せっかくですから先生自身がどう工夫して板書しているのか，説明してください。「こう分けると見えやすいよ」「あまりたくさん色分けしすぎると，わかりにくくなる」など，いろいろなアドバイスができるはずです。そのアドバイスは，子どもたちが自分で思考を整理したり，自分だけのノートをつくるときに役に立ちます。ことに小学校高学年あたりから，きれいに飾ったノートをつくることに熱中する子どもが出てきます。「きれい」と「見えやすい」「探しやすい」

「考えやすい」は別だということも，教えてください。

■ 学校全体でノートの指導

小学校の頃は板書を写したり，教師の指示に従ってノートをとれば済みますが，中学，高校と学年が上がるにつれて，自分の判断でノートをとることが必要になってきます。そのためにもノートのとり方やその工夫は，早いうちに身に付けておきたいものです。東京都立稔ヶ丘高等学校では1年生を対象に，学習方法を学ぶ授業「コーピング・メソッド・タイム」を実施しています。そこではノートのとり方は，まず最初に取り上げられるテーマです。この授業を受けた高校生は，こんな感想を書いています。

> 黒板に書いてあることを何も考えずに写していたので，ノートに隙間が開いてしまったり，あまりわからないノートになっていました。「ノートのまとめ方」を勉強して，自分のノートを見やすくわかりやすくすることに成功しました。　　　（永井，2009，p.60）

高校生でも，ノート＝黒板の写生というケースがあること，ノートのとり方を1つの学習方法（方略）として学ばなければならないことがわかります。

ツボ

情報を整理したり思考を促す道具として，ノートを位置づけよう。その上手な使い方は，教師から意図的に教えることが必要だ。また板書は，情報整理の仕方を教えるモデルとして使うこともできる。

近くのツボ

ノートのとり方や稔ヶ丘高校の実践については，1−1や2−4でも触れています。

9-3 ワークシートは凝りすぎない

　ノートと同じくらい，あるいは先生によってはノート以上によく使われるのがワークシートです。どうも先生方はワークシートに凝りすぎる傾向があるようです。ワークシートは教師の思考や好みを反映しています。すると子どもにとっては書き込みにくかったり，発想が制限されてしまうということも起こります。

　もちろん，ワークシートが授業の目標と子どもの思考に即して適切な枠組みになっていれば問題ありません。枠組みが与えられた方が考えやすいし，共通の枠組みがあると，あとで友だちと一緒に整理したり協議しやすいことはわかります。しかし，凝りすぎる必要はありません。

ワークシートにイケメンのイラスト

　7-1で，中3国語，島崎藤村の詩『初恋』を扱った授業を紹介しました。生徒たちは一人で，あるいはグループで，作品中の表現が醸し出す世界，表現が引き起こす印象を中心に，詩を読み深めていきました。そして最後の時間に，今度は自分がその主人公「われ」になったつもりで，相手に対する気持ちを台詞で表すという課題に取り組みました。

　ところが先生が配布したワークシートを見てビックリ！ いかにもイケメンで物思いにふけっている雰囲気のマント姿の旧制高校生と，派手やかな髪飾りをつけた，しとやかな女性のイラストが添えられていたのです。イラストは，それまでの読みをチャラにしてしまうほどの影響を及ぼしかねません。先生もそのことに気づいたのか，次のクラスで使ったワークシートからは，イラストは削除されていました。インターネットという便利な道具が，こうした凝り過ぎを誘発するみたいです。

■ 2次元座標軸を使いたかった

　もう1つ，中3国語の例をあげましょう。森鷗外の小説『高瀬舟』です。主人公・喜助の弟は貧苦のあまり自らの喉を切りますが死にきれず，喜助がそれを幇助してしまいます。ある授業で，喜助の気持ちの中にあるのは「弟の希望をかなえた満足感」か，「弟を殺した罪悪感」かということがテーマとなりました。あわせて喜助に付き添う役人・庄兵衛の気持ちとしては「有罪」か「無罪」か，ということも検討されました。

　生徒に渡されたワークシートでは2次元の座標軸が提示され，生徒は自分の意見がこの表のどのあたりか，付箋を貼り付けることが求められました。生徒たちは「んー，もう少し右かな」などと悩みながら，付箋を動かしていました。

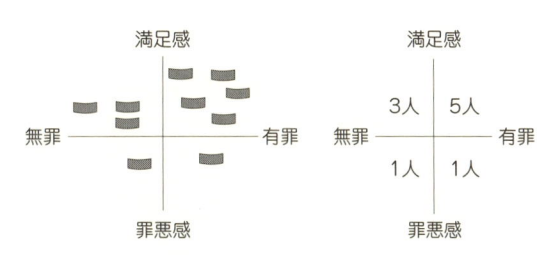

　ところが生徒が苦労したにもかかわらず，教師は第Ⅰ〜第Ⅳ象限のそれぞれにあたる人数を数えただけでした。それなら最初から，4つの象限のうち1つを選ばせるだけで良かったはずです。あるいはもっと単純に，

> 問1　喜助の気持ちは，「弟の希望をかなえた満足感」か，「弟を殺した罪悪感」か。
> 問2　役人・庄兵衛の気持ちは，「有罪」か「無罪」か。

という2問を問いかけ，それぞれ選択させるのでもよいでしょう。

　どうやらこの先生は，とにかく座標軸を使ってみたかった…手段と目的が入れ替わっていたようです。

ツボ

> ワークシートに凝り過ぎると，かえって授業の目標にそぐわなかったり，児童生徒の思考を制限することもある。道具としての適切さに配慮することを忘れてはいけない。

第 9 章　道具について…考えた

近くのツボ

手段の目的化については，7－1 や 8－3 など随所で取り上げています。イラストが読みを方向づけたりミスリードしかねないことは，次の 9－4 でも取り上げます。ワークシートの一種である穴埋め式の教材については，2－2 で取り上げています。

9-4 百聞は一見にしかず？

「百聞は一見にしかず」という諺があります。くどくど説明するよりも，自分の目で現物を見ればパッとわかる，という意味です。教科書でも授業でも，イラストや写真あるいは映像資料を活用することで，わかりやすくなることはたくさんあります。

学習を促す道具として，図表は有効です。もしも教科書が文字と数字だけで構成されていたとしたら，どんなにわかりにくいことでしょう。

けれども実はこうしたビジュアル情報の扱いには細心の注意が必要です。いくつか例をあげてみましょう。

教科書は情報過多

ためしに二十年前の理科や社会科の教科書を探してみてください。イラストなどの少なさに驚くことと思います。当時の教科書がB5判だったのに対して現在はA4判が主流です。それだけイラストや写真が増えたと言えそうです。なにせ，鉄腕アトムは飛んでいるわ，釣りキチ三平は出てくるわ…けれども改めて，子どもが1人で勉強するための素材として，教科書を見てください。見開き2頁に情報を盛り込みすぎてはいないでしょうか。

情報が多ければよいか

便利な世の中になりました。NHK for Schoolというサイトを開くと，さまざまな教科用に作成されたデジタル教材がダウンロードできるようになっています。例えば理科ですと，1〜3分程度の映像データが，各学年ごとに20〜30本用意されています。よくできた映像ですが，なぜかアップテンポのBGMが流れていて，映像に集中できないこともあります。また映像だけに情報が多く，どこを見てよいかわからないということになりかねません。こうした場合，映像を見る前に教科書のイラストなどでポイントを教えておいたり，途中で映像を止めて先生が解説を加えることも必要でしょう。

第9章 道具について…考えた

　音楽教育がご専門の松永洋介さんは，小学校2年生がヨゼフ・シュトラウスの「かじやのポルカ」をDVDで鑑賞する場面を想定して，映像の利用に注意を促しています。教師の方では曲中で印象的に使われる金床のリズム（音）に注意をさせたくても，子どもはさまざまな楽器や演奏者の映像に注意を向けてしまう可能性があるのです。

　大学生に心臓の構造を教えた研究では，心臓のカラー写真よりもシンプルな白黒線画の方が学習効果が良かったという結果が報告されています。

▌挿絵によるミスリード

　国語の物語文には一流の画家による挿絵が添えられています。こんなすてきな読み物，子どもたちだけに独り占めさせるのはもったいない！　私は読書が好きですが，老眼のせいで文庫本を読むのが辛く，国語の教科書を開いて楽しんでいます。

　けれどもその挿絵が，子どもたちの読みを方向づけ，ときにはミスリードする危険性があります。例えば小学校4年生の国語の定番教材「ごんぎつね」。本文には「ごんは，ひとりぼっちの小ぎつねで」と書かれています（傍点筆者）。しかし教科書によっては，ごんは頭が大きく目がくりっとして体全体が丸っこい姿に，つまり「子どものきつね」として描かれています。

　主人公の兵十が母親を亡くしひとりで暮らす様子を見て，ごんはこうつぶやきます。「おれと同じ，ひとりぼっちの兵十か。」兵十に近づこうとするごんの心境の読み取りは，彼を「小さなきつね」と考えるか「子どものきつね」と考えるかで，変わってくるでしょう。

▌教材デザインのガイドライン

　図表を含めた教材のデザインやレイアウトについては，リチャード・メイヤーやマルコム・フレミングといった研究者が，ガイドラインを示しています。例えば次のような指針です。

▶余分な文章や図，音はないほうがよい。
▶学習する人の認知能力を超えない程度の複雑さにする。
▶話題の内容を理解するために重要な図が目立っている。
▶比較すべき対象が隣接している。
▶図と本文が結びついている（本文と図が近い，どの図を見ればよいか指示されている）。

こうした観点から，教科書やワークシートのデザインを見直してみることも，授業作りのヒントにつながります。

ツボ

豊かな図表やたくさんの情報が，必ずしも学習にプラスに働くとは限らない。説明のためには，映像よりもシンプルな線画の方が効果的なことも多い。児童生徒の理解度や授業の目的に即して，ビジュアル教材を選択したり使い分けることが大切だ。

近くのツボ

ビジュアル教材のうち図表の扱いの難しさについては，次の9－5で取り上げます。

9-5 図表の見方には練習が不可欠

　小学校の算数では，テープ図や数直線といった図が多用されます。大人からするとシンプルですし，算数の問題を考えるには便利な道具です。けれどうした図で表現されているのは，具体物ではありません。例えば右の図では 8 個のみかんをある長さのテープで表現しており，抽象化がされています。

具体と抽象の対応

　ここに紹介したのは，東京書籍の教科書です。この教科書では，具体物から抽象的な表現への移行を，ステップを踏んで丁寧に描いています。その一方で，これほど丁寧なステップを踏まず，いきなりテープ図で表現している教科書もあります。教科書を見比べてみることも，大切な教材研究です。

　小学校 3 年生では，時刻と時間の求め方を学びます。例えば，

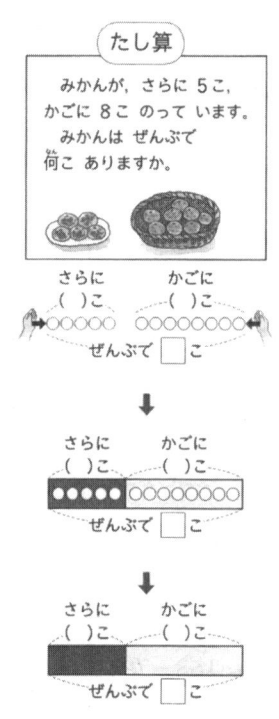

(東京書籍『新しい算数 2 下』，p.68)

| 問題 | 学校を 8 時 40 分に出て，30 分歩くと公園に着きました。着いた時こくは何時何分ですか。 |

(東京書籍『新しい算数 3 上』，p.20)

といった問題で，アナログ時計と数直線の絵が添えられています。
　ところが児童によっては，時刻と数直線との対応がピンとこないらしいので

す。数直線のかたちで時を刻んでいるわけではありませんから。

　そこで，ある先生は教室の壁に掛かっているアナログ時計にひもを巻き付け，そこに時刻の印を付けて，外して伸ばして見せました。これで児童にも，数直線と時刻の対応が納得できたのです。この日は授業参観日で，参観していた保護者からも「おぉ〜」という声が上がり，「家での教え方がわかりました」という感想も聞かれたそうです。

非連続型テキストは難しい

　理科や社会科あるいは国語の説明的な文章では，数値データを図表で整理したものが用いられています。一見シンプルな図でも，そこには，横軸，縦軸，棒や折れ線といった情報が盛り込まれています。中には右の図のように，2つの地域の「月別平均気温」と「稲の栽培時期」を一枚のグラフに書き込んでいるといった，おそろしく複雑な図も使われています。

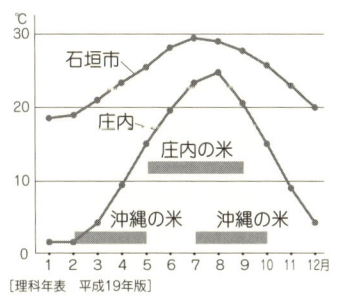

庄内と石垣市の月別平均気温

（東京書籍『新編新しい社会5下』，p.33）

　大人からすると「一見シンプル」でも，その見方に慣れるには，相当の手間がかかります。ましてそこから的確に情報を読み取ったり，読み取ったことを説明できるようにするには，丁寧な指導が必要でしょう。私自身，大学入試の小論文で図表の読み取りができない受験生が多いことに気づいています。大学生を対象とした研究でも，グラフの見方のポイントを教えなければ，グラフの理解度が低いことが示されています。こうした情報が「非連続型テキスト」と呼ばれ，その読解指導が課題とされるわけです。

自分で書くことで読み方を学ぶ

　1つの方法として，グラフを「読む」だけでなく，自分で調べた事柄についてグラフを「書く」ことが，グラフの読み取りの力にもつながります。自分で調べることで，数値の意味がハッキリ理解でき，それをグラフにすることで，縦軸・横軸が何を表しているか，複数の情報をわかりやすく盛り込むにはどうすればよいか，棒グラフ・線グラフ・円グラフをどう使い分けるか，といったことがよく

わかるからです。

> **ツボ**
>
> 複雑な情報も，図で表現するとわかりやすくなることが多い。しかしそのことは逆に，一見シンプルな図表の中にたくさんの情報が詰まっていることを意味する。図表から情報を読み取る方法は，授業の中で教えなければ身につかない。

> **近くのツボ**
>
> 複数の教科書にあたって図を比較することは大切な教材研究になります。このことは，どういう具体例を使うかという問題に関連して，6－7でも指摘しました。

9-6 道具に慣れるには時間がかかる

　ごく簡単な道具でも，初めて使う児童にとっては思いがけないところでつまずくことがあります。

■ 図を使うとわかりやすくなる…はずだった

　小学校3年生の国語の授業。このクラスの先生は，長い文章を読むときには，ポイントを図表にまとめながら読むとよいと考えておられます。そこで手始めに，「難しい文章でも，図を使うとこんなにわかりやすくなるよ！」ということを児童に実感してもらうために，次の問題を出しました。

> **問題**
> けんじは，よしおよりも，せがひくかった。
> たろうは，一番　せがひくかった。
> かずとは，けんじよりも　せがひくかった。
> こういちは，一番，せが高かった。
> さて，2番目にせがたかいのはだれでしょう。

　先生は黒板に，こんな図を書いて児童に示し，「背たけの順に名前を並べると，すぐわかるよ」と言いました。

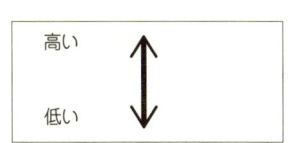

| 高い ↑ |
| 低い ↓ |

　まず，「けんじは，よしおよりも，せがひくかった。」ある児童はノートに，右のように書きました。

| 高い ↑ | よしお |
| 低い ↓ | けんじ |

　つぎに，「たろうは，一番　せがひくかった。」

高い ↑	よしお
	けんじ
低い ↓	たろう

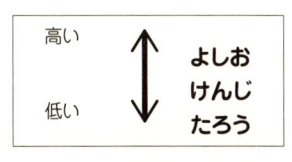

ところが次の「かずとは，けんじよりも　せがひくかった。」でつまずきました。ここまでの3人を隙間なく並べたために，「かずと」を書き込む隙間がなくなったのです！

授業のあとの研究会では「付箋に名前を書いて並べさせる方が，操作しやすいのでは」という意見が出されました。確かに，一度書いたものを消して書き直したりするよりは，付箋を貼ったり貼り直す方が簡単です。

■ 付箋を生かすためには

小中学校の授業で付箋を活用する場面をよく見かけます。例えば大きめの付箋に自分の意見を書いたり，教科書の本文を抜き書きし，それをワークシートに貼ったり，小グループのメンバーが書いた付箋を集めて整理したりします。

ところがこれも，最初に使い方を確認しないと，困ったことが起こります。付箋に書き込むときは「1枚＝1項目」が大原則です。こうしておけば，友だちの付箋と比べて，似たものをまとめるといったことができます。けれどこの原則を知らないと，1枚にいくつもの内容を書き込む児童が必ず出てきます（大学生でも見かけます）。大きい付箋を使う場合は，なおさらです。

このように，使い慣れた人には便利な道具でも，初心者は思いがけないところでつまずいて，その道具がかえって足手まといになることがあります。

■ 道具を教える・学ぶ

そうならないためには，次のことが大切でしょう。

第一に，先生が使い方のコツを教えたり，手本を示すことです。中3のある国語の授業では，先生が大きな紙を付箋に見立てて，付箋への書き方の例を最初に示していました。

第二に，簡単な教材や課題から始めて，使い方に慣れることです。難しい課題にいきなり新しい道具を導入すると，負担が倍増します。1-1でも，算数の問題を図に書いて考える場合，まずは簡単な問題から始めて，図という道具を使うことに慣れることが大切だと述べました。

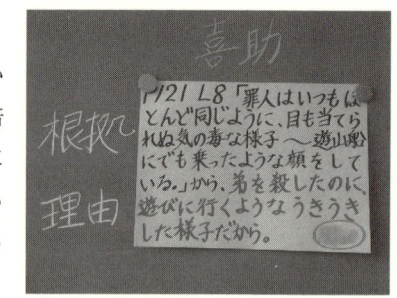

9-6 道具に慣れるには時間がかかる

第三に，意欲的な先生ほど，ご自分でアイディアを考えたり，他の人の実践を参考に，いろいろな道具を授業に持ち込みます。子どもは結局，その道具の使い方をマスターしないまま終わってしまいます。道具を絞ることも大切です。

第四に，先生自身がその道具を使ってみて，使い方に習熟してから取り入れることです。自分一人で使いこなせて始めて，使い方のコツを教えたり手本を示すことができますし，多人数の授業の中でどう生かすか考えることもできます。

第五に，同じ付箋でも，大きさや色分け，向き（縦書きか横書きか）などにまで配慮した使い方をすることです。そのためには，付箋を使う目的や場面（一人かグループか），活動後にどう生かすかということまで考えて，教師自身がシミュレーションしておくことが大切です。

ここでは「図」と「付箋」という2つの道具を例に説明しました。しかしこれらに限らず，ワークシートでもホワイトボードでも小黒板でも蛍光ペンでも，あるいは思考スキルのように「物」以外の道具でも…あらゆる道具に，ここで述べたことは当てはまります。

ツボ

やたらと新しい道具を授業に導入しない方がよい。その道具を初めて使う児童生徒は，意外に単純なところでつまずくからだ。教師自身がその使い方に習熟した上で，簡単なレベルから繰り返し使うことで，道具の利用に慣れることが大切だ。

近くのツボ

手本を示すことについては，6－4で強調しました。頭の使い方や思考スキルなども一種のツールと考えると，2－5，3－6，7－6も関連するツボです。

9-7 ムカデに尋ねました

　小学校1年の算数。9 + 4, 8 + 4といった繰り上がりのある足し算の勉強です。まずはブロックを操作して，こんなふうに考えます。例えば「9 + 4」は

```
考え方
    9 + 4
    ■■■■■■■■■ □□□□

    9は，あと1で，10になる。
    そこで4を1と3にわける。
    ■■■■■■■■■　□　□□□

    9に1をたして10になる。
    ■■■■■■■■■■　□□□

    10と3で，答は13です。
```

　確かにわかりやすい考え方です。けれどもいつも机の上にブロックを並べるわけにいきません。そこで登場するのが，これを図に描く方法です。4を1と3にわけたところがサクランボに似ているところから，「サクランボ計算」と呼ばれています。
　ブロックを使った考え方と同じ発想ですし，その意味ではわかりやすいと言えます。

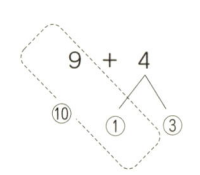

■ サクランボの使い方ー 4タイプの児童

　ところが授業の様子を見ていると，4タイプの児童がいることがわかりました。このとき児童が解いていた問題は「8 + 7」です。4つのタイプとは，

　(a) サクランボ計算で解いている児童。
　(b) サクランボを書くことはできるが，その先ができない児童。「8 + 7」で7を②と⑤に分けたが，あとは指を折りながら数えて「15」と書いた。（机間巡視した先生から

は丸をもらえた)。
- (c) 暗算で正答を出したあとで、サクランボを描く児童。
- (d) 暗算で正答を出したあとで、サクランボを描こうとして、描き方がわからず、間違ったサクランボを描いた児童。

です。

(d) のタイプのある児童の場合、こんな様子が見られました。

- ▶暗算で「8 + 7 = 15」と正答を出しました。
- ▶7の下にサクランボの○を描いたけれど、7をどう分けるかわからない様子でした。
- ▶そこで前の問題「9 + 8 = 17」を見直すと、「8」を①と⑦に分けています。
- ▶それをまねして「8 + 7」の「7」の下に、①と⑥を書きました（写真）。
- ▶そして「8」と「1」をつなげて「10」と書き込みました。
- ▶机間巡視した先生は答の「15」だけ見て、丸を付けてしまいました。

サクランボは便利な道具ですが、上の (c) や (d) の児童にとっては、かえって計算の邪魔になっています。ムカデに「どんなふうに歩いているの?」と質問したら、ムカデはとたんに歩けなくなったという昔話がありますが、それと似た状態でしょうか。

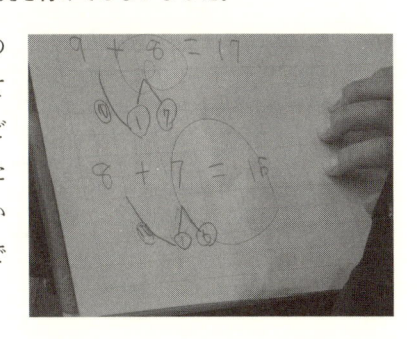

■ 無理にサクランボでなくとも

もちろん算数の勉強は、計算ができればよいというものではありません。計算の意味や理屈が理解できることが大切です。例えば、

> 問
> ▶たかしくんは、サクランボのえをかいて、けいさんしています。どうしてこんなけいさんをしているのか、たかしくんのかわりに、せつめいできるかな。
> ▶たかしくんとおなじようにけいさんすると、8 + 7 の 7 は、なにとなにに わけるかな。○の中に、すうじをかいてみましょう。

といった発問で、理解度を確認することはできると思います。

計算の意味が理解できていることがわかったら、あとはサクランボを使うか使わないかは、本人のお好み次第ではないでしょうか。どうしてもサクランボでな

第9章 道具について…考えた

ければダメですか？

> **ツボ**
>
> 授業では、「こう考えると便利だ」が、いつの間にか「こう考えないといけない」に化けることがある。サクランボの絶対視も、手段が目的化した一例だ。サクランボを用いるのと同様に筋道を踏んで確実に計算でき、その筋道を説明できるなら、それで「十分満足」とは言えないだろうか。

> **近くのツボ**
>
> 手段の目的化については、7－1を初めとして、第7章とこの章の随所で指摘しています。また8－3では、グループでの学習活動が目的化してしまう危険性を指摘しています。算数の解き方を無理矢理1つに収束させることについては、4－4でも触れています。

第10章
やる気について…考えた

「智に働けば角が立つ。情に棹させば流される。意地を通せば窮屈だ。」…夏目漱石『草枕』冒頭の一文です。こういうのがさらりと出るあたり，学者もまんざら野暮ではありません。

私のバックボーンは認知心理学です。認知心理学は，物事を見る，考える，覚える，判断する，など，「知」の働きを明らかにする学問です。けれども「知」の働きは，情意の働きと無縁ではありません。「へえ，おもしろいなあ！」という感情や，「よし，やるぞ！」という意欲がなければ，勉強はなかなか先に進まないでしょう。反対に，知識があるからこそ「え〜！ 予想外だ。なんで?!」という感情や，「もっと知りたい！」という意欲が生まれることもあります。意欲が空回りすることなく，うまく成果につながるには，メタ認知という「知」の働きも不可欠です。

「知」にぴったり貼り付いている「情意」について，考えました。

10-1 6つの動機づけ

「意欲」や「やる気」のことを心理学では「動機」とか「動機づけ」と呼びます。いろいろな動機づけがありますが，学習に縁の深いものとして，「内発的動機づけ」と「外発的動機づけ」という表現を聞いたことがあると思います。

内発的というのは，勉強そのものがおもしろい，楽しい，という学習者本人の知的好奇心や向上心に動機づけられているという意味です。これに対して外発的というのは，勉強したら褒美がもらえるとか，あるいは叱られずに済むとか，そういう外からの賞罰に動機づけられているという意味です。

■ 内発的動機づけを期待しすぎていないか

先生方は，子どもが内発的に勉強に取り組んでくれることを期待します。また『学習指導要領』で各教科の目標を読むと，それぞれの教科の深奥な水準に達することが求められているようにも思えます。例えば国語ですと「思考力や想像力及び言語感覚を養い，国語に対する関心を深め国語を尊重する態度を育てる」，算数ですと「算数的活動の楽しさや数理的な処理のよさに気付き」といった具合です。私自身，大学生に授業をしていて，あまり反応がよくないと，「なんで，このおもしろさがわからんのじゃあ?!」という気になります。

けれど，すべての子どもがすべての教科に対して学問的なおもしろさを感じ，内発的に取り組むなどということは，どう考えてもありそうに思えません。それは，先生自身が世の中の森羅万象すべての事柄に知的好奇心を動かされることがないのと同じです。

では，児童が勉強におもしろさを感じられない場合，どうすればよいでしょうか。内発−外発の対比で考えると，目の前にご褒美をちらつかせるか，あるいは罰で脅すか，ということになります。しかしそれもちょっと極端な気がします。

■ 動機づけの6分類モデル

教育心理学者の市川伸一さんは，内発−外発という分類が少し単純すぎるので

はないかと考えて，次のように，動機づけを6分類したモデルを提案しました。

充実志向 学習自体が楽しい	訓練志向 知力を鍛えるため	実用志向 仕事や生活に生かす
関係志向 他者につられて	自尊志向 プライドや競争心から	報酬志向 報酬を得る手段として

「充実志向」は，新しいことを知りたいとか，勉強そのものが楽しいといった動機で，内発的動機づけにあたります。「訓練志向」は勉強することで頭の訓練になったり，筋道だった考え方ができるようになりたい，という動機です。実用志向は日頃の生活や将来の仕事に生かしたい，という動機です。

それに対して，友だちと一緒に何かやることが楽しいとか，先生に認めてもらいたいという動機は「関係志向」です。また勉強ができたり成績が良いと人から尊敬されるから，という気持ちで勉強するのが「自尊志向」です。そして，ご褒美がもらえるからとか，叱られずに済むからというのが「報酬志向」です。これが典型的な外発的動機づけに対応します。

■ 何がきっかけで向学心が燃えはじめるかわからない

充実・訓練・実用の3つの志向は，学習の内容を重視しているという点で似ています。先生としては，こうした気持ちで学習に取り組んでほしいと願うでしょう。

しかしそうならない場合も多いわけです。大人でも，こうした気持ちが持てない仕事に取り組む場合はあります。そんなとき，どうしますか？ 例えば「これができたら，自分にご褒美」と考えたり，「自分で自分を褒めてあげたり」して，なんとかその気になろうとしないでしょうか。

関係・自尊・報酬の3つの志向は，学習内容と直結しているわけではありません。人間関係や賞罰といった，外の条件に支えられての学習です。しかし，やる気が起きない場合や，心理的に幼い場合には，こうした動機を刺激することも有効です。友だちにつられて勉強する，部活の顧問に褒められるのが嬉しくて勉強もがんばる，という経験は多くの人がしているのではないでしょうか。

星新一の著作に『明治の人物誌』という評伝があり，この中に花井卓蔵という弁護士が紹介されています。これによると花井卓蔵は少年時代，

第10章 やる気について…考えた

> 最初のうちは，あまり成績優秀とはいえなかった。しかし，やがて妙なことに興味を持ちはじめた。あらかじめ入念に予習をしておき，先生を困らせるのである。「この本にはこう書かれていて，また，この本にはこうあります。先生のおっしゃることとちがっています」この面白さにとりつかれ，学問に熱中するようになった。
>
> （星，1998，p.329）

先生を困らせたいというのは，一種の自尊志向でしょうか。星新一も，「まったく，人間，なにがきっかけで向学心が燃えはじめるかわからない」と述べています。

私自身の経験です。小学校4年生まではぼんやりした児童でしたが，5年のときの担任が，児童をその気にさせるのが上手な先生でした。自宅で宿題以外に「自由勉強」をしてくると，それに応じて先生がガリ版で手作りした名刺大のカードをくれるのです。それを教室の後ろに掛けておき，たまった枚数に応じて学期末に福引きをしました。それで自由勉強用のノートや鉛筆が当たるという仕掛けです。最初はカード欲しさに自由勉強に取り組んでいましたが（報酬志向），そうするうちに授業がなんとなくわかりはじめ，授業中に手を上げて発表できるようになりました。それで指名されるのが嬉しくなり（関係志向・自尊志向），やがて勉強そのものをおもしろく感じるようになったのです。

■ さまざまな志向をくすぐる工夫を

ですから先生には，子どもの実態に即して，上手に子どもの志向をくすぐる工夫が求められます。かつての私のように報酬が有効な児童生徒もいますが，それだけに頼るのも問題です。充実・訓練・実用といった志向で勉強している子どもに対して賞罰やご褒美ををちらつかせると，反発されたり，子どものやる気を反対に下げることがあるからです。

意外と難しいのが，訓練志向や実用志向のくすぐり方。先生方，「この勉強をすると，こんなふうに賢くなるよ」とか「こんなことに役立つよ」と，自信を持って語れますか？

10-1 6つの動機づけ

ツボ

教師自身がおもしろいと感じている事柄であっても、児童生徒が知的な関心を抱いて内発的に学習に取り組むとは限らない。児童生徒のさまざまな志向に即して、学習に気持ちを向かわせる工夫が必要だ。また教師からの賞罰により、かえってやる気を損なうこともあるので、注意しなければならない。

近くのツボ

賞罰の意味や役割、与え方については、4-5と4-6でも取り上げています。

10-2 基本は安全，安心感

アバラハム・マズローという心理学者がいました。彼の名前は知らなくとも，「自己実現」という言葉を聞いたことがある人は多いと思います。

欲求の階層説

マズローの有名な理論に「欲求の階層説」というものがあります。図を見てください。

人間にはいろいろな欲求があります。生理的欲求とは，食事や睡眠など生命維持に不可欠な条件を満たしたいという欲求です。安全・安定の欲求とは，安心して生活したいという欲求です。愛情・所属の欲求とは，他者と親密な関係をつくりたいという欲求です。承認・自尊の欲求とは，他者から認められたい，自分自分に自信を持ちたいという欲求です。最後に自己実現の欲求とは，自分の可能性を発揮して自分の使命を達成したいという欲求です。

| 自己実現の欲求 |
| 承認・自尊の欲求 |
| 愛情・所属の欲求 |
| 安全・安定の欲求 |
| 生理的欲求 |

そして，これらの欲求が階層になっており，基盤の欲求が満たされると，次のレベルの欲求が現れると考えます。ですから，食事や睡眠が脅かされる状態では，それを満足させるために一生懸命になります。まずは生きること，です。それが満たされて今度は，安全に暮らしたいという欲求が現れます。そしてその次に，他者と一緒にいたい，他者から認められたい…と続き，それらが満たされたあとに，自分らしさを追求する欲求が現れるというわけです。

欲求の階層を学校に当てはめる

厳密な階層性を考えるのは無理があります。自分の身を犠牲にしても他者のために尽くす，といった行動もあるからです。しかし，こういう階層を考えることで，学校で大切なことも見えてきます。これらの欲求を学校に当てはめると，次

のような例が考えられます。

欲　求	例
自己実現	自分の興味や関心を追求して，課題に探究的に取り組んでいる。
承認・自尊	他の児童生徒から，自分の長所を認めてもらえたり，自分で自分に自信が持てる。
愛情・所属	クラスや部活などが自分の居場所だと感じている。
安全・安定	安全で安心感のある学校生活を送ることができる。
生理的	食事，睡眠，排泄，といった欲求が満たされている。

　クラス作りや学級経営は愛情・所属の欲求に対応しています。また授業で「友だちの意見の良いところに気づいて取り入れよう」とか「自分や友だちの考え方のいいところを探そう」と呼びかけるのは，承認・自尊の欲求に対応しています。そして何かに一生懸命熱中している姿は，自己実現に向かっていると言えそうです。

■ 高次の欲求ばかりに目が向いていないか

　先生方はもちろん，こうした姿を目指して，授業や学級経営に取り組んでおられます。しかしさらに基盤となる安全・安定の欲求や生理的欲求は，十分に満たされているでしょうか。

　例えば自分が発言したら笑われたという経験は，「承認・自尊の欲求」を損ないます。それだけでなく，こういう経験が重なると，愛情・所属の欲求や安全・安定の欲求も揺らいできます。クラスの中に居場所が感じられなくなったり，安心して発言できなくなったりするわけです。

　最近よく話題になる貧困家庭の問題は，安心・安定の欲求や生理的欲求が十分満たされていない子どもがいることを教えてくれます。貧困家庭の中高生に学習支援を行っている白鳥勲さんという方が，読売新聞（2013年9月10日）に寄稿をしておられます。その内容の一部を要約して紹介しましょう。

> 　朝食も弁当も作ってもらったことがない。連絡帳も見てくれない。いじめられても泣き言も言えない。…こうした家庭の子どもは，温かい励ましや支えがある家庭の子どもと比べて，生活習慣，社会常識，学力，健康などあらゆる面で差がつく。
> 　一対一の学習支援を大切にしているのは，教育効果が高いためだけではない。自分だけにまなざしを向ける大人の存在が必要だからだ。だから志望校の説明会にも一緒に行く。

家庭の経済格差は子どもの学力につながります。これについては，家計に余裕があると塾などに通わせる余裕も生まれ，それが学力差をもたらすと解釈することができます。しかしそれだけでなく，貧困家庭では安全で安定した健康な生活を送ることが難しかったり，愛情・所属の欲求が十分に満たされず，そのことが上位の欲求を妨げているという面も見逃せないのです。

安心が創造性や成長の原動力

ポジティブ心理学という領域の研究から，次のことが指摘されています。ヒトという生き物は危険な状況では，危険から逃れることだけに注意を集中させます。そこでは失敗は許されません。絶対確実な方法で安全を確保することに全力を尽くすわけです。一方，安全な環境では安心感をベースにして，いろいろな事柄を試してみたり，試行錯誤をする余裕が生まれてきます。そのことが創造性や成長の原動力になるのです。

ツボ

> 基礎的な欲求が満たされているということは，子どもが伸びていくための土壌として必要だ。一人一人の子どもが基礎的な欲求を満たせるよう配慮することは，子どもの意欲を支える大切な支援である。

近くのツボ

> 生理的欲求や安全・安定の欲求は学力とは無縁に思えるかもしれません。しかし学力につながる土壌として大切です。このことは8-2や10-5でも触れていますし，12-3でも強調します。成長を信じてまなざしを向けてくれる人の大切さは，11-5で強調します。

10-3 学習性無力感と自律感

　「意欲に乏しい」児童生徒は，生まれつきそういう性格なのでしょうか？　おそらくそうではないでしょう。赤ちゃんのときは誰しも，おなかがすいたら泣き，あやしてもらえば笑い，おもしろそうな物があれば手を伸ばし，それを取り上げられたら大泣きし…という具合に，世界に対して積極的に関わっていたはずです。赤ちゃんが「おなかがすいたけれど…まあ，いいか」「あれ？　初めて見るものだな。何だろう。まあ別にいいか…」と思っているとは考えにくいですね。

■ サイレント・ベビー
　ところが20年ほど前に，「サイレント・ベビー」という言葉が小児科の医師から出てきました。文字どおり静かな（サイレント）赤ちゃんです。病院の待合室でも泣きません。赤ちゃんの表情や行動に対して周囲の大人が反応してやらないと，赤ちゃんはいつの間にか「泣いても無駄，笑っても無駄，自分が何しても世界は応えてくれない」ということを学んでしまうというのです。こういう状態は，自分の無力感を学んでしまったという意味で，「学習性無力感」と呼ばれます。

■ 犬に無力感をうえつける－学習性無力感
　実はこうした現象はすでに1960年代の動物実験から明らかになっていました。マーチン・セリグマンたちはこんな実験をしました。
　2匹の犬（AとB）がつながれます。2匹の足には弱い電気ショックが流れる装置が取り付けられています。また犬Aの頭の脇にはパネルが設置されています。そしてこのパネルを頭で押すと，スイッチが切れてショックが止まる仕組みになっています。さらにAがショックを止めるとBに流れていたショックも止まる仕組みになっています。つまり

第10章　やる気について…考えた

- ▶犬Aと犬Bは同時にショックを受ける。
- ▶犬Aがパネルを押すと，AもBもショックが止まる。
- ▶犬Aがパネルを押さないと，AもBもショックを受けるままになる。
- ▶犬Bが何をしても，ショックが止まることはない。

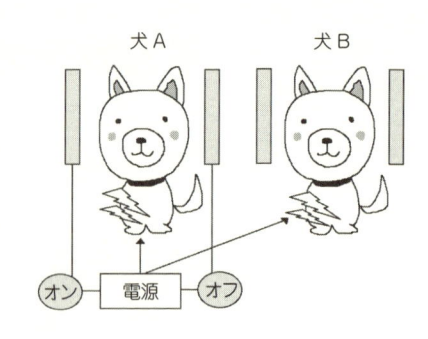

ということです。こういう経験をすることにより，犬Aは「自分が何とかすれば，不快な状態を止めることができる」ということを学びます。一方，犬Bは「自分が何をしても，不快な状態を止めることはできない」ということを学んでしまいます。学習性無力感の状態です。

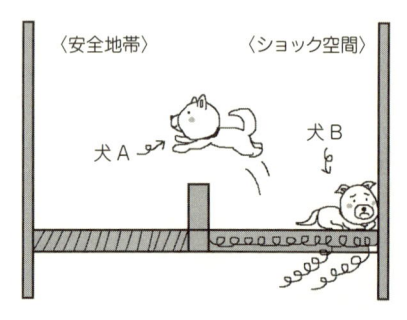

こういう経験をしたAとBを別の装置に入れます。今度は床に電気ショックが流れてきます。けれど目の前の衝立を越えて隣のスペースに移動すれば，そこは安全地帯で，ショックは流れていません。Aはすぐに，安全地帯に逃げることを学びます。しかしBは，ショックを受けたまま，うずくまっているだけなのです。

学校ではどうでしょう。授業がわからなかったり，勉強しても結果が出ないので，次第にやる気をなくし，簡単な課題にも手を出さなくなっている児童生徒がいたら，学習性無力感の状態だと思ってよいでしょう。

自分が何かをすれば，それに対して周囲の世界が応えてくれる…こういう経験が意欲を維持するには不可欠です。自分が環境をコントロールしている，という経験です。

自律感を損なう

環境ではなく「自分」をコントロールしているという感覚を持てると，これは自律感や主体性と言えます。学習にとって，この自律感は非常に大切です。世界や知識は，日々新しくなっています。学校で教えられることには限界がありま

す。学校の外でも自ら主体的に学び続けることが，適応的に生きていくには必要なのです。

ところが周囲の大人の態度によって，この自律感は簡単にくじけてしまいます。「宿題やったの?!」という一言を言われたばかりに，やる気になりかけていた気持ちが萎えたという経験はありませんか。また10-1で触れましたが，勉強そのものがおもしろいという気持ちで取り組んでいる子どもにご褒美をちらつかせると，かえってやる気を損なうことがあります。どちらも周囲の大人の余分な働きかけによって，「自分が自分の判断で自律的に勉強している」という感覚が弱まったのです。

無力感からの回復

さて無力感を身につけてしまうと，もう回復できないのでしょうか。いいえ，無力感が学習によって身に付いたのであれば，別の経験を重ねて，無力感を減らしたり，逆に有能感を高めることもできるはずです。そのとき鍵になるのは，失敗の原因をどう判断するかということです。

例えばテストで悪い成績をとったときに「ダメだ，自分には能力がない」と考えれば，立ち直れません。しかし「勉強が不足していたからだ」とか，「勉強のやり方がまずかったからだ」と考えるなら，少しは再チャレンジの意欲もわいてきます。勉強量を増やしたり，方法を工夫することなら，何とかなりそうだからです。

これは「悪い成績」をとった場合に限りません。そこそこの成績をとっているけれど，そこから伸び悩んでいるというケースも多々あります。そういう時にはえてして，「ここが自分の能力の限界だ」とあきらめてしまいます。

こういうとき先生方には是非，何がその子の学習に不足しているのかを一緒に考えてあげてほしいと思います。同じ失敗を繰り返すとか，基本的なことが意外とわかっていないとか，ノートをきれいに整理することにだけ注意を向けていて内容理解が伴っていないとか，きっと問題の鍵が見えてくると思います。

第 10 章　やる気について…考えた

ツボ

無気力を性格や能力の問題として片付けてはいけない。無気力は，毎日の生活のどこかで学習してしまったものだからだ。自分には状況を変える力がある，自分が活動すると周囲が応えてくれるという経験をすることで，自律感を持てたり，無気力から立ち直ることができる。

近くのツボ

失敗の原因を性格や能力のせいと考えると，落ち込んでしまいます。少しずつでも対応しやすい学習方法（方略）に着目することが現実的です。このことは 2 − 3 と 2 − 4 につながります。また 12 − 1 では，個人と学習方法の相性があることを指摘しています。

10-4 ささやかだけれど、これもPBL

　1990年代から広まった考え方で、状況主義というものがあります。この理論は12−2で紹介しています。ごく簡単に言うと、学習とは学校だけに閉じられたものであってはいけない、社会とつながった活動に主体的に取り組むような学習が大切だという考え方です。

プロジェクト・ベース学習とは

　こうした発想から始まった授業実践に、プロジェクト・ベース学習（PBL）というものがあります。その先進校であるミネソタ・ニューカントリースクールでは、中学・高校のほとんどすべての教科に、この方法を取り入れています。これは生徒が各自の関心に基づいてプロジェクトを立ち上げ、個人やグループで課題を追求するという方法です。生徒は1つのプロジェクトに約100時間をかけ、年間10のプロジェクトを遂行します。その大まかな手順は次のとおりです。

1. 学校が評価規準を提示する。
2. 自分の関心のあるテーマを考える。
3. 企画書を作成する。州の評価規準を参考に、そのプロジェクトでどの教科のどういう内容が学べるかを考えて、教師と相談しながら企画を立てる。
4. 課題を追求する。単にネット上で情報を調べるだけでなく、地域の人や専門家にインタビューすることを含める。
5. 複数の教師が出席する評価会議で、プロジェクトの進行状況を検討し、より良くするためのアドバイスを受ける。
6. 保護者や地域の人を招いた報告会で成果を報告する。

プロジェクトの例

　PBLを取り入れた学校の運営に関わっているロナルド・ニューエル氏の著書『学びの情熱を呼び覚ますプロジェクト・ベース学習』には、例えば次のようなプロジェクトが紹介されています。

第10章　やる気について…考えた

　　メイヨー家の歴史プロジェクト
　　　ミネソタには世界的に有名なメイヨー・クリニックがあり，その創始者が若い頃に住んでいた家は現在博物館になっている。このプロジェクトを行った17歳のケーシーは，博物館のツアーガイドに雇ってもらい，19世紀後半〜20世紀の社会や医学について学ぶとともに，博物館のバーチャル・ツアーをパソコンで製作した。このバーチャル・ツアーは，博物館の新人ガイド研修に用いられることとなった。彼女はこのプロジェクトで，歴史・技術・読み書きの単位を取得した。

　PBLを日本でも広げようと活動している上杉賢士さんは，千葉県旭市の取り組みを紹介しています。旭市では長期的な市政計画に中学生の意見を反映させたいと考え，650名の中学生が126のプロジェクトを立ち上げました。ある生徒は市内の公共交通の現状を調べるとともに，市民や市の担当者にインタビューをしました。その結果，ある地域では市内循環バスしか移動手段がなく，しかも，バス一台あたりの高齢者数が多いことがわかりました。こうした調査を踏まえてこの中学生は，高齢者が暮らしやすいための交通網整備を市に訴えたのです。

プロジェクト学習の発想を授業に生かす

　こういう例を紹介すると，先生方はおそらく，「そんな大それたことは，とてもとても…」と及び腰になるのではないでしょうか。
　けれどもPBLや，その背景にある状況主義の発想を授業に生かすことはできると思います。ポイントは，

- ▶学校や教室の中に限定されない，外の社会とつながるリアルな課題を設定する。
- ▶課題の設定は子どもの関心に基づく。
- ▶教師は答を教える役目ではなく（そもそも答は最初は見えていない），プロジェクトを進める上でのアドバイザーとなる。

ということです。
　そういう意味で，私自身が拝見して，「これはささやかだけれど，PBLに近いなあ」と感じた事例を紹介しましょう。（「近い」というのは，厳密なPBLではなく，また上のポイントをすべて満たしているわけではない，という意味です）。

学校の問題の改善策を校長先生に訴える

　小学校6年生を担任しているS先生は，学校が抱える問題について意見文を書くという学習を行いました。例えば「登下校の安全確保」「校内放送が聞こえ

にくい」「図書室の本が返却されない」といった問題です。児童は周囲の人にインタビューしたり，本やインターネットで同様の問題に取り組んでいる他校の様子を調べたりして，解決に向けた自分の意見をまとめました。

「図書室の本が返却されない」という問題を取り上げた児童は，図書室の司書教諭に実態を尋ねたり，他の学校や市の図書館の対策を調べました。そして「人気の本は予約制にする」「図書だよりに行方不明の本を載せる」「借りるときはきちんとカードに記録し，カードが一定枚数になると景品を出す」などの対策を提案しました。

これらの意見文は校長先生に提出され，校長先生からは37名の児童一人ひとりへの回答が届けられました。例えばこんな回答です。

> 図書室の本がなくなるのは，本当に困ったことです。その原因を図書の先生に聞いてハッキリさせたのは，とても良いことです。これからも意見を考えるときは，その原因をしっかり確かめるといいですね。他校の取り組みを参考に対策を考えたことは立派です。図書室の先生や図書委員に伝えて，図書委員会で考えて全体に広げてもらうとよいでしょう。

小6向けの中学校ガイドを作成する

中学校3年生の国語を担当しているF先生の授業では，中学校への進学を控えた小学校6年生向けに，中学校を紹介するリーフレットを作成しました。生徒たちは3年間の自分たちの生活を振り返り，いろいろな成功体験・失敗体験を素材に，中学校生活のアドバイスを盛り込んだリーフレットを班ごとに作成しました。例えば「ライバルからの友人関係を築こう！　中学では友人関係がとても大切。最初の中間テストで点数を競い合っているうちに友情が芽生えた」や，「毎日コツコツ勉強しよう！　英語は大丈夫と思って油断していたら一番苦手な科目になっていた。毎日コツコツ単語を覚えた方がいい」など，実体験に基づく具体的なアドバイスが盛り込まれました。

このリーフレットは，次年度の入学予定者向け説明会で実際に活用され，小学生からお礼や「もっと〜〜について知りたい」というメッセージが届きました。ちなみに小学生の感想で意外と多かったのが，「ノートの作り方がくわしくわかってよかった」というもの。ある班がつくったリーフレットには，ちょうど9-2で紹介したようなノートの工夫（日付やページを書く，大切なところは色ペンで囲む，間違えた問題は赤ペンでもう一度書く，など）がイラスト付きで示

されていたのです。6年生が中学校の勉強に不安を感じていること，具体的なアドバイスがその不安を解消してくれることがわかります。

■ 調査結果に基づいて給食メニューを提案する

中学校1年生の国語を担当しているK先生は，『食感のオノマトペ』という教材文の学習を発展させました。生徒はさまざまな食感のオノマトペについて，どれくらいおいしいと感じるかというアンケートを作成しました。その結果を整理すると，男子は「ジューシー」や「シャキシャキ」，女子は「モッチリ」や「ホクホク」を好むという違いがわかりました。生徒はこの結果をもとに，給食センターや食品メーカーにレシピを提案する文章を書きました。例えばある生徒は給食センターに対して，「女子にはサツマイモの生地の中にお餅を入れたデザート，男子にはレンコンのシャキシャキ感を残した揚げ物のうえにハンバーグをトッピング」という提案をしました。

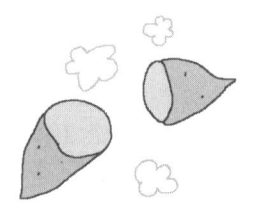

■ 学習活動がPBLと言えるには

3つの例を紹介しましたが，いずれも児童生徒は，答が1つに決まらない課題に，主体的，探究的に取り組んでいました。学習活動がPBL的な魅力を発揮し，子どもたちを夢中にさせるには，どういうことが必要でしょうか。

第一に，その課題は現実の世界とつながるものでなければなりません。

第二に，この課題には1つの正解というものはありません。教師から答や知識を教わるのではなく，自分たちが答や知識を見つけたり創り上げるものでなければなりません。

第三に，探求の成果は外の世界に向かって発信され，それに対する応答がなければなりません。応答がなければ，子どもたちは，「学校での課題って，なんだかんだ言っても，結局は嘘っぽい」ということを，学んでしまうでしょう。6年生の提案に校長先生が応えてくれたり，中学校3年生の作ったリーフレットが実際に説明会で使われたのは，とても大切なポイントです。

■ 総合的な学習はPBLになれるか

ところでPBLは「総合的な学習」に似ていると思った方もおられるでしょう。

10-4 ささやかだけれど，これも PBL

もともと総合の内容も課題も，各学校で定めることができます。しかし現実には職業・福祉・環境という定番があり，生徒は教師が指示したテーマを巡って，インターネットや本で「調べ学習」をしているに過ぎないというケースが多いようです。

総合で児童生徒の関心を重視し，しかも現実とつながる課題を設定するとなると，教師自身もよくわからないテーマが選ばれる可能性があります。こういう状況を先生方は嫌がるのではないでしょうか。先生方にはそういう状況で「先生もわからないんだ。けれどおもしろそうだから，一緒に調べてみよう」と腹をくくってもらうことは可能でしょうか。その上で，「インターネットで検索しよう」というだけでなく，「こういう方法で〜〜を調べたり，詳しい人を探せば，何かわかるかもしれない」とか，「よくわからないけれど，このテーマは〜〜と結びついている気がする」などとアドバイスしていただけるでしょうか。

ツボ

大がかりなイベントでなくとも，学習活動を自分たちの生きている世界とつながる内容にすることは可能だ。そうした取組は児童生徒の意欲を喚起するし，強い動機づけによって学習が深まることが期待できる。ただしそのためには教師の側にも，「上から教える人」から「隣で一緒に考える人」へ役割を変える覚悟がいる。

近くのツボ

6年生の意見文は 3-4 で紹介した実践です。中3によるリーフレット作成で F 先生がどんな支援をしたかは，6-4 で取り上げています。

10-5 計画力，段取り力をつける

　やる気が出たからといって，思いつくまま行き当たりばったりに勉強したのでは，効果も半減します。その意味で，第3章で取り上げたメタ認知は大切ですね。「計画を立てる」というのは，メタ認知を使った勉強方法の1つです。

　私がかつて指導した学生で，とても優秀な人がいました。彼女は中学の頃から，夏休みの勉強にしてもテスト準備にしても，「1週間＝6日として計画を立てて，1日は予備日にしていた」と言うのです。こうしておけば，足りないところを予備日にカバーできます。また予定通り進んでいれば，その日はご褒美！ 好きなことをすればいいわけです。

　しかしこれは本当に稀なケースです。ベネッセ教育総合研究所の調査を見てみましょう。小学5年生から高校2年生まで，「自分がどれだけ時間をうまく使えているか」問いました。学年が上がるほど，時間をうまく使えていないと考えています。自分の時間の使い方を100点満点で自己評価したところ，その平均は小学生が69点，中学生が58点，高校生が54点でした。

　高校生ですと，1週間単位でプランを考えるくらいが現実的でしょう。これくらいの単位でも，ギリギリまで課題にとりかかるのを先延ばしにしたり，間に合わせるために慌てるということがよくあります。

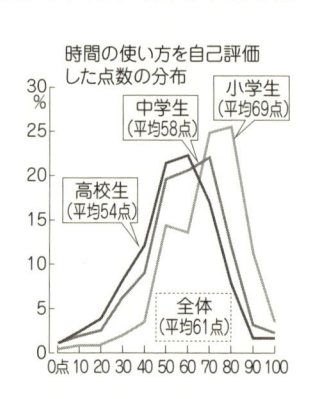

■ うまく時間を使えない理由

　プランを立てたり，プラン通りに勉強しようとしても，なかなかそうは行きません。これにはいくつかの理由があります。

　第一は，具体的な目標が意識できない，ということです。実は私の小学校時代の成績はどん底でした。学期末に親に通知表を見せると，「お前，どうするんだ？」と問われます。そう問われて「次は，がんばる」。全然，具体的ではない

ですね。

　第二に，目標が具体的でも，大きすぎると問題です。例えば夏休みに問題集40頁こなすというのは具体的な目標です。しかしこれでは，どうすればよいか見当もつかない。そうではなく，1週間に10頁という中程度の目標，そして1日に1～2頁という小さな目標に分解します。これだと，どれくらいの時間がかかるか，どういう時間の使い方をすると毎日実行可能かわかります。また小さい目標ですと，それだけ達成感を何度も味わうことができます。現状と目標の間の距離を測って，距離を細分化して，具体的なプランに置き換えて，1つずつ実行していくわけです。

　第三に，好きな教科ばかりやって，嫌いな教科は後回しにして，結局時間が足りなくなる，ということがよくあります。これは，「何をしないといけないか，具体的にわかっているけれども，その順序を間違えている」ということです。この場合，かなりの荒技ですが，自分で自分にご褒美を出すようにすると，うまくいくことがあります。そのご褒美とは，好きな教科の勉強です。例えば，国語が苦手で数学が好きなら，「とにかく国語の課題を毎日1頁は勉強する。それができたら初めて，好きな数学に取り組む」というルールを自分で作るのです。

計画性を身につけるための前提

　ここまで述べた事柄は一般に計画性とか時間管理術と呼ばれるものです。こうしたものを身に付けるには，いくつか大切な前提があります。

　第一に，「やりがいが感じられる課題」であるということです。私たちは，楽しい休日や，自分の好きな活動のためなら，詳細にプランを立てようとします。決して「明日のデートは…がんばる！」で済ませることはないでしょう。反対に，魅力の感じられない課題のためにあれこれ計画したり段取りを考えることは難しいのです。

　第二に，身近に「モデル（お手本）」となる人がいるということです。実際に計画を立てる姿を見せてもらえると，計画の立て方を具体的に学べます。身近にモデルがいない場合は，小学校の高学年くらいから読める時間管理術やプランニングの参考書があります。心理学的にも理にかなったものを，経営やマネージメント分野の方が書いておられます。引用・参考文献にあげた佐々木かをりさんや渡辺謙介さんの著書は，とても参考になります。

第 10 章　やる気について…考えた

　そして最後に,「安定した環境」ということです。明日がどうなるかわからない環境では,計画を立てる気にはなれません。大げさなと思われるかもしれませんが,家庭の状況によっては,安定した規則正しい毎日を過ごすことが難しい子どもがいることも事実です。

ツボ

> 計画性も,学習で身につくスキルの1つだ。計画を立てるには,大きな目標を具体的に小さく分ける,順序を考えるなどのコツがある。関心を持てる課題の達成に向かって,こうしたコツを使いながら計画を立てることで,計画力が育まれる。

近くのツボ

> 安定した環境の大切さについては,10-2 で取り上げています。計画性については,2-1 でも触れています。

第11章 テストや評価について…考えた

　子どもの頃からテストは嫌いでした。私は小学校4年生まで全然勉強しない子どもでした。当然成績は悪いので、テストも嫌いになります。大人になったらテストこそありませんが、広い意味で評価される場面はたくさんあります。嫌いとまでは言いませんが、どう評価されるかは気になります。

　一方、評価する機会もたくさんあります。これも好きではありません。私は、大学での授業の準備を工夫することは好きですし、関心を持ってくれる学生さんの前で話すことも、そこそこ好きです。しかし試験と成績評価は、なかなか好きになれません。なんとか楽しく評価したいと考えて、レポートに ☺ マークの検印を押したりしますが、あまり効き目はないようです。

　テストや評価を好きになることはあきらめました。それでも何とか、児童生徒の成長につながるテストや評価にならないか、考えました。

11-1 テストが学び方を変える

　私は「共通一次試験」世代です。そのせいか散々,「共通一次になってから大学生の学力が低下した」とけなされました。こうした批判の背景にあるのが,

　　　共通一次 ＝ マークシート ＝ 穴埋め式 ＝ 丸暗記で対応できる試験

という発想です。

　もちろん,正しく考えなければ正解にはたどり着けないわけですから,マークシートや穴埋め式が即,思考力を奪うというのは,誤っています。

　けれども,人名や用語や年号などの丸暗記でも対応できる試験があること,そうした試験は穴埋め式に多いことも確かです。次の2つの問題を比べてみましょう。

> 問 問1 （　　）を埋めなさい。
> 　　　　1858年に（　　）条約が結ばれた。
> 　　問2 日米修好通商条約はどういう点で日本に不利だったでしょう。説明しなさい。

　大人も子どもも,テストというものはあまり好きではありません。そこでできるだけ楽な方法でこれを乗り切ろうとします。問1のようなテストを繰り返し経験した子どもは,「テストに出そうな重要語句を暗記すれば何とかなる」「大切な語に線を引こう」「覚えられない言葉は何度も繰り返し書いて覚えよう」といった勉強方法に頼ることになるかもしれません。

■ テスト形式の影響が実証された

　実はこうしたテストの影響を実証した研究があるのです。

　教育心理学者の村山航さんは,夏休みに大学主催の学習講座を開催し,そこに参加した中学2年生に社会科（近現代史）の授業を行いました。授業は1回50

分で5回です。毎回の授業は

　　　授業（35分）＋ 復習（5分）＋ テスト（10分）

という構成になっていました。

　受講生は複数のクラスに分けられました。どのクラスも授業内容は同じですが，テストの形式を変えたのです。あるクラスは穴埋め式テスト，別のクラスでは記述式テストが実施されました。

　すると，このテスト形式の違いが，生徒の学習方法に影響を及ぼしたのです。穴埋め式テストを繰り返しうけた生徒では，「難しい言葉はノートに丸写しする」といった暗記型の学習が増え，反対に，記述式のテストを繰り返し受けた生徒では「事件や出来事の内容を理解しようとした」とか「大きな流れをつかむことを重視した」といった，理解型の学習が増えました。こうした変化は，テスト前の復習だけでなく，授業中の学習にも見られました。

　ここから中学生は，テストの形式に合わせて「うまい」やり方で対処しようとしていることがわかります。しかし，うまいやり方に副作用があるとも考えられます。穴埋め式を繰り返せば，生徒はそこにうまく対応しようとして，その結果，暗記型の浅い学習にとどまってしまう危険性があるわけです。

日々の授業の中でも？

　さらに，こうした影響が，日頃の学校とは関係ない学習講座で，たかだか5回の授業で生じたことも見逃せません。通常の学校では毎回テストということはありません。しかしテストという形はとっていなくても，先生が質問し，子どもが答える，ということは毎日毎時間，繰り返されます。すると先生の発問が，この研究のテストと同じ影響を及ぼすとは考えられないでしょうか。

　教育心理学者の北尾倫彦さんは，授業では子どもとの対話を大切に，と述べたあとで，こう注意を喚起しています。

　　「子どもとの対話を大切に……」といえば，教師が質問し，子どもが答える回数が多くなるかもしれません。その結果として，一問一答式のクイズのような授業になる恐れがあります。軽い発問がつぎつぎと発せられますと，子どもは深く考えることなく，短い思いつきの答えを連発するだけに終わります。このような授業の後では，なにを学んだかさえもはっきりせず，まとまった知識も頭に残りませんし，大切なことを学

んだという実感もありません。子どもが発言する回数が重要なのではありません。子どもの思考や感情をゆさぶり，教科の大切な中身を根底から学びとらせることに重点を置くべきです。

(北尾，2011，p.53-54)

　怖いのは，軽い質問－軽い答の繰り返しでも，一見するとテンポ良く授業が展開しているように見えてしまうことです。そして児童生徒が，そういう浅い思考に慣れてしまい，浅い思考しかしなくなることです。

ツボ

> テストは児童生徒に，どういう勉強方法が望ましいかを伝えるメッセージとなる。日頃の授業で「考える」ことを強調していても，テストがそれに反するものなら，児童生徒はテストに合わせた勉強方法を選んでしまう。またテストと同じく授業中の発問も，児童生徒にどう考えるかを伝えるメッセージになる。

近くのツボ

> テストがメッセージを伝えるということは，4－4でも触れています。発問が思考を方向づけることは，6－1で強調しました。また，村山航さんの研究で見られた二通りの学習方法は，2－3で取り上げた認知方略と反復方略に対応しています。

11-2 評価基準を子どもに開示する

「なんでこれが✕なんですか?!」と，返却された答案用紙をもって先生のところに聞きにいった経験のある人は，どれくらいいるでしょうか。最近の大学では「成績確認制度」などというものができて，成績に納得がいかない場合は，公的に申し立てができるようになっています。ま，たいがいは「なんで出席していたのに，D（不可）なんですか？」といった類いの申し立てですが…。

成績の評価基準を子どもに開示したら，どういうことが起こるでしょうか？こういう試みは学校現場ではほとんど行われていないと思います。もしかしたら，先生個々人の工夫の1つとして，行われているかもしれません。

評価基準を開示してみた

テストの在り方を専門に研究している鈴木雅之さんは，大学主催の学習講座に参加した中学2年生を対象に，1回50分の数学の授業を1日おきに5回行いました。そして，そのうち1〜4回目の授業の最後に，10分間の確認テストを実施しました。扱った内容は，連立方程式の文章題です。テストは次回の授業の冒頭で返却されました。このとき，クラスによって，ルーブリック（評価基準）を添えて返却するクラスと，添えずに返却するクラスを分けたのです。

評価基準はこういうものでした。

5点　正しい式を書き，計算方法も正しく，正しい答を導くことができている。
4点　2つの正しい式をたてることができているが，計算に誤りがある。あるいは，計算しておらず，最終的な解答までは導くことができていない。
3点　2つの式をたてているが，どちらか一方の式に誤りがある。
2点　1つの正しい式をたてることができている。
1点　式をたてようとしているが，誤っている。図や表をかいているが，誤っている。
0点　無答／その他。

第11章　テストや評価について…考えた

どのクラスでも，返却されたテストと解答例を見直す時間が15分間設けられました。またルーブリックを添えて返却したクラスでは教師は，①点数は理解度を示していて順位付けなどの目的ではないこと，②自分の現在のレベルや次に何が必要かを把握することが理解を深めるには必要であること，③不十分な解答でも書き込みがある方が自分の間違いを把握できるので0〜3点の違いを設けたこと，などの説明をしました。

評価基準開示の影響

こうしたテストを繰り返したところ，ルーブリックを添えてテストを返却されたクラスでは，ルーブリックが示されなかったクラスと比較して，次のような成果が見られたのです。

- ▶最終日（5日目）のまとめテストで高い成績を収めた。
- ▶「授業を楽しく受けた」「もっと難しい問題に挑戦したい」など，内発的動機づけが高まった。
- ▶「黒板に書かれたものを頭で確認してからノートに写した」など理解重視の学習方略が強まり，逆に，「式を暗記しようとした」など暗記型の学習方略が弱まった。

テスト観が鍵を握っていた

さらに，こうした結果が得られたプロセスが詳しく分析されました。すると，ルーブリックを提示することが生徒のテスト観に影響し，それがこうした変化を引き起こしたことがわかりました。

テスト観とは，生徒がテストの目的をどう受け止めているかということです。ルーブリックを提示された生徒たちでは，「テストは自分の力を調べるためのものだ」とか「テストは自分がどれくらい理解できているかを確認するためのものだ」といったテスト観（改善的テスト観）が高まり，それが理解重視の学習を促し，テスト成績につながったのです。なおテスト観には改善的テスト観の他に，誘導的テスト観（テストは学習計画を立てるのに役立つ），強制的テスト観（テストは勉強を強制するものだ），比較的テスト観（テストは人を選別するものだ）があります。

鈴木雅之さんの研究は，教師と生徒がテストの目的や評価基準を共有することの大切さを示しています。6－3でも触れた，先生が"つもり"を伝えることの

大切さを示しているとも言えるでしょう。

子どもにわかるルーブリックを

それなら，明日から評価基準を開示すれば生徒が変わる！　いや，ちょっと待ってください。生徒がテスト結果や評価基準を生かそうと思えなければなりません。そのためには，生徒にわかる言葉で具体的にルーブリックが作成されていることがポイントです。鈴木さんの研究で使われたルーブリックは，その条件を満たした，具体的なものでした。そうすれば子どもたちは，その単元で何を学ぶことが大切なのか，どういうことができるようになればよいか，わかるでしょう。こうしたルーブリックであれば，子どもが自律的に学ぶための目安になります。

ルーブリック作成の副産物

こうした具体的なルーブリックを作成することは，面倒に思われるかもしれません。しかし先生にとっても，2つの意味でプラスになります。

第一に，ルーブリックを具体的な表現で作成しようとすることで，授業の目標がより明確になるということです。第二に，具体的なルーブリックがあれば，児童生徒の学習状況や実態を，より的確に捉えることができます。

指導案には「児童の実態」という欄がありますが，それを見ると，例えば国語では

> 文章を書くことに苦手意識を持っている。

などと，非常におおざっぱにしか書かれていないケースがたくさんあります。しかし一言で「苦手」といっても，

- ▶何を書いていいのかわからない。
- ▶書く内容は思いつくが，どう構成したらいいかわからない。
- ▶いつも短い作文になって，詳しい説明が書けない。

など，たくさんの現状があります。評価規準を具体的に「〜〜ができる」という形で表現することで，児童生徒の現状の把握も，授業の目標も，目標に向かうために取るべき手立ても，より明確になるはずです。

第11章　テストや評価について…考えた

ツボ

評価基準を児童生徒に示すことは，授業の目標やそこに到達するまでのステップを明確に伝えることになる。それにより，「上から一方的に評価するテスト」から，「次の学習に向けての情報としてのテスト」に変わり，児童生徒の動機づけにも影響を与える。

近くのツボ

評価基準（規準）を具体的に示すことの大切さは，3－4と6－2でも述べています。

11-3 まず自分で解いてみる

　例年9月に，文部科学省と国立教育政策研究所の主催で，全国学力・学習状況調査の結果を踏まえた説明会が開催されます。ある年の説明会で小学校・算数の説明にあたった調査官が開口一番，こう言いました。「まず，すべての先生方が，学力調査の問題を解いてみてください」。

　私も教員免許状更新講習の機会などに，参加した先生方に過去の調査問題を解いてもらうことがあります。ときには参加者から，「なんで小学生向けの問題なんか解かせるんだ！」とお叱りを受けることがありますが…受講者が200名近くいると，算数A問題でも正答率100％とはならないのです。ちなみにA問題は「主として知識に関する問題」で，「身に付けておかなければ後の学年等の学習内容に影響を及ぼす内容」「実生活において不可欠であり常に活用できるようになっていることが望ましい知識・技能など」です。

なぜ自分で解いてみるのか

　先生方が実際に問題を解くことには，いくつもの意義があります。

　第一に，どういう思考や問題解決力が求められているかが，具体的にわかるということです。

　第二に，そうした問題を解くときに，頭の中でどういうステップを踏んで考えているかがわかるということです。

　第三に，解けなかったとき，どこのステップでつまずいているかがわかるということです。

全国調査の問題から

　少し古い問題ですが，具体例を出しましょう。平成20年度の全国学力・学習状況調査で出題された小6算数A問題の1つです。

第11章　テストや評価について…考えた

> **問題**　約150cm²のものを，下の1から4までの中から1つ選んで，その数字を書きましょう。
> 1　切手1枚の面積
> 2　年賀はがき1枚の面積（正解）
> 3　算数の教科書1冊の表紙の面積
> 4　教室一部屋のゆかの面積

　この問題の正答率は，わずか17.8%でした。そして教員免許状更新講習などの機会に先生方に出題しても，必ず，3や4を選ぶ方がおられます。
　国立教育政策研究所（2008）の解説資料では，この問題の趣旨を「量の大きさについての豊かな感覚を身に付けているかどうかを見る」としています。しかしこうした抽象的な表現では，解けない児童のつまずきの原因を捉え，改善することにはつながりません。

問題解決のステップ

　大人が正解できるのは，まず1～4の選択肢がすべて長方形であることを読み取り，次に面積の公式を利用して「150 = 15 × 10」と考え，そして縦が15センチ，横が10センチのもの（年賀はがき）を選択するからでしょう。
　このように問題解決のステップを考えることにより，児童のつまずきや支援のポイントが具体的に見えてくるのではないでしょうか。つまり，この問題が解けるには，以下のことがわかったり，できたりしなければならないのです。

- ▶「約」という言葉の意味がわかる。
- ▶切手も，はがきも，教科書も，教室も，すべて長方形であることがわかる。
- ▶長方形の面積＝縦の長さ×横の長さであることがわかる。
- ▶機械的な九九の計算だけでなく，150 = 50 × 3 = 15 × 10 = 5 × 30 など，数の柔軟な操作ができる。
- ▶10センチや15センチが，だいたいどのくらいの長さかわかる。
- ▶だいたいの長さと具体物の対応がつく。

　こう考えると，この正答率の低さは決して小学校6年生段階での問題だけではないことがわかります。上にあげた6つのどこか1つにでもつまずけば，この問題は解けないのですから。
　全国学力・学習状況調査は，小学校6年生と中学校3年生を対象に実施されま

す。すると，それ以外の学年の先生方は，他人事のような印象を持つかもしれません。そうではありません。6年生の成績は1〜5年生の学習の反映なのです。

ツボ

全国学力・学習状況調査を受けるのは小学校6年生と中学校3年生の児童生徒だが，その結果は，小学校5年間，中学校2年間の反映だ。先生たちが自分で解いてみて，そこで必要とされる思考や知識を全学年の教育課程と照らし合わせて，授業改善に活用しよう。

近くのツボ

算数の問題を解くステップについては，1-5で詳しく述べています。

11-4 順位は(あまり)気にするな

　全国学力・学習状況調査の結果が公表されると,まず各都道府県の順位が話題になります。前回 30 位だった県が 20 位になれば「大躍進」と讃えられ,順位が下がれば「低迷」と非難されます。
　順位というのは,非常にわかりやすい数値です。しかし同時に,誤解をもたらしやすい危険な数値でもあります。

■ 順位は実力を教えてくれない

　第一に,順位は相対的な数値であり,実力を示す情報を何ひとつ含んでいないということです。話を簡単にするために,50 メートル走にたとえてみましょう。

　　　佐藤君が 1 位,山田君が 2 位だった。

これでは,いったいどういう記録が出たのか,わかりません。二人は僅差なのか大差なのかもわかりません。

　　　佐藤君が 7.65 秒で 1 位,山田君が 7.90 秒で 2 位だった。

このように実際の成績(50m 走の記録)までわかって初めて,順位が意味を持ちます。
　第二に,順位は相対的な数値ですから,順位は上がっても実力は低下しているということも起こります。例えば

　　　僕は昨年の記録会では,7.65 秒で 4 位だった。
　　　僕は今年の記録会では,7.85 秒で 1 位だった。

```
           7.2  7.3  7.4  7.5  7.6  7.7  7.8  7.9  8.0  8.1  8.2  8.3  8.4 (秒)
   昨年    1位  2位  3位  4位
   今年                          1位       2位  3位  4位
```

という場合です。全体の水準が下がった中で 1 位になったというわけです。それでも順位が上がったと，喜べるでしょうか。

　第三に，全国調査では 1 位から 47 位まで，順位が付きます。しかし都道府県の間の点数差はごくわずかで，「ドングリの背比べ」状態です。例えば 2013 年の小学生の結果では，正答率 1 位の秋田県が 70.2%，40 位の群馬県が 60.1%。いわば 100 点満点の 60 〜 70 点の間に 40 の都道府県がひしめき合っている状態です。正答率がちょっと上がれば，たちまち順位は大躍進となります。

　こうした理由から，順位が低いからといって，あまり恥じる必要はないと思います（もちろん実質的な学力が低ければ問題です）。

　順位は，国内の調査だけでなく，PISA に代表される国際比較でも話題になります。2013 年の PISA では，日本の順位が上がったという結果が出ており，「『脱ゆとり』を目指した新学習指導要領のもとで，PISA 型学力の育成が効果を上げている」といった報道が目立ちました。しかしその一方で，無答率が高かったり，下位層の基礎学力に課題があるなど，見過ごせない実態も指摘されています。

▍評価のあとが大切

　学校での単元テストにせよ，全国調査にせよ国際調査にせよ，評価はあくまで現状を把握し，改善の方向を探るための道具です。評価で終わってはいけません。

　学習の不十分な児童生徒がいれば，その子たちのフォローに力を尽くさなければなりません。多くの子どもが苦手な問題が見つかれば，そうした問題にも取り組める力がつくように，授業を工夫しなければなりません（国立教育政策研究所は，全国学力調査の結果に基づく授業アイディア例を，毎年，HP 上で公開しています）。それが，「指導と評価の一体化」と言われるものです。さらに子どもたちの実態やフォローの成果などを家庭に伝えることも大切です。

　読者の皆様，「釈迦に説法」だったら，お詫び申し上げます。

第 11 章　テストや評価について…考えた

> **ツボ**
>
> 順位と学力は必ずしも対応していない。全国調査や国際調査の順位だけに一喜一憂するのはやめよう。調査の問題と結果から学力の実態を把握して，それに応じた授業を工夫することで，調査結果を生かすことが大切だ。

> **近くのツボ**
>
> テスト結果をどう受け止めるかは，教師や学校の「テスト観」の反映とも言えるでしょう。テスト観については 11 − 2 で紹介しました。

11-5 教室のピグマリオン

「ピグマリオン効果」という言葉を聞いたことがあると思います。教師が特定の児童に対して「この子は伸びるぞ」と期待を抱くことで、本当に成績が伸びたという効果のことです。

もともとの研究は1960年代にアメリカの心理学者ロバート・ローゼンサールたちによって発表されました。ローゼンサールはある公立小学校と協力して、1〜5年生の児童全員と、その学校に入学予定の幼稚園児に知能検査を実施しました。そして担任の先生に対して、「知能検査の結果から、近い将来に知能が伸びると予想される」児童の氏名を伝えたのです。しかし実はローゼンサールは、各クラスから20%の児童をランダムに選び（実験群）、その氏名を伝えたに過ぎませんでした。それでも、その児童たちは他の児童（統制群）に比べると、その後、知能の高い伸びを示したのです。

その後の研究で、教師は自分が期待した児童に対して、無意識のうちに接し方が変わることがわかりました。授業中に指名する回数が増えたり、答えられない場合はヒントを与えたり、間違った場合でもどこがよくないのか丁寧に教えたり…教師のこうした行動が、子どもに変化をもたらしたのです。

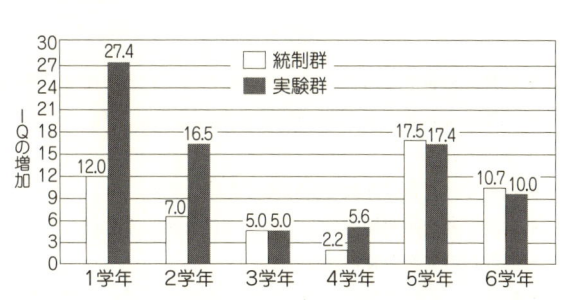

学年	統制群	実験群
1学年	12.0	27.4
2学年	7.0	16.5
3学年	5.0	5.0
4学年	2.2	5.6
5学年	17.5	17.4
6学年	10.7	10.0

IQの増加

■ 戯曲と映画のピグマリオン

「ピグマリオン」とはもともと、イギリスの劇作家バーナード・ショーの戯曲のタイトルで、いまも翻訳が出版されています。1938年には同じタイトルで映画化され、その後は『マイ・フェア・レディ』のタイトルでミュージカルに。1964年にはオードリー・ヘップバーン主演で映画『マイ・フェア・レディ』が

公開されました。

　原作では，ロンドン下町の貧しい花売り娘イライザが，言語学者のヒギンズ教授と彼の親友ピカリング大佐に引き取られ，淑女として社交界にデビューするための特訓を受けます。完璧なマナーを学んで社交界デビューを果たしたイライザは，こう言います。

> 　紳士淑女の何たるかは大佐に学びました。彼は私を花売り娘以上の扱いをしてくれました。レディと花売り娘の違いは，どう振る舞うかではなく，どう扱われるかです。花売り娘として扱う教授には，私は永久に花売り娘，レディとして扱う大佐の前ではレディになれます。教授が私を花売り娘として扱う限りは，私はずっと，花売り娘です。レディとして扱う大佐には，私は，レディなのです。
> 　　　　　（パラマウントジャパン（発売）『マイ・フェア・レディ』字幕翻訳：金丸美南子より）

周囲の人の見る目や扱い方で人は変化する，というわけです。

■ どんな子どもに期待を抱くか

　ところであなたが教師なら，「この児童は伸びますよ」という情報を心理学者から受け取る機会は，まずないでしょう。しかし，いつの間にか特定の児童生徒に，期待を抱くようになることはあるでしょう。小中学校の先生方に「どんな児童生徒に対して，肯定的な期待を抱きますか？」と尋ねると，たくさんの答が返ってきました。

- ▶将来英語を使う職業に就きたいと言ってくれる生徒（英語の教師）。
- ▶授業態度がまじめで提出物をきちんと出したり，教師のアドバイスを素直に聞き入れる生徒。
- ▶行事などで大役を引き受けてくれる児童。
- ▶授業参観や研究授業などで積極的に発言した生徒。
- ▶他教科の成績が良い生徒。
- ▶授業中に姿勢が良く，頭を上げて教師を見て，教師の発言に頷いたりしてくれる生徒。
- ▶兄姉の成績が良かったり，両親が高学歴な生徒。
- ▶他の教師との茶飲み話や会議などで評価された生徒。
- ▶文字をきれいに書く生徒。

■ 「やっかいな」子どもにどう接するか

　しかし，このように期待の持てる児童生徒ばかりではありません。そして先生

方には，「期待の持てる子どもを育てる」だけでなく，「あまり期待が持てそうにない子どもを育てる」ことも求められるわけです。では，「ちょっと扱いが難しい」「やっかいな」相手に対して，どんな対応をすると，期待している児童生徒の場合と同様のプラスの効果が得られるでしょうか？

　第一に，期待した児童生徒が伸びたのは，決して教師の期待を神様が聞き届けてくれたからではありません。そうではなく，期待した相手には授業中に指名したり，答えられない場合はヒントを与えたり，間違った場合でもどこがよくないのか丁寧に教えるなど，効果的な教え方をしたからなのです。反対に考えると，児童生徒が伸びない1つの原因は，教師の側がこうした働きかけを十分にしていないことだと言えます。「期待している」か「やっかい」かに関わらず，すべての児童生徒に，こうした働きかけをしてください。

　第二に，何かが苦手だということは，それだけ「伸びしろ」があるということです。その子の伸びを認めてあげましょう。そのとき，他の児童生徒と比べて「〇〇さんみたいにしなさい」と言われるのは辛いものです。またそう言われても「そんなの無理だよ！」と拒否されそうです。そうではなく，本人がうまくできた機会を見逃さずに，「今の調子！」と伝えてあげましょう。ところで，やっかいな生徒が真面目に課題に取り組まなくても，先生の方で見て見ぬふりをしていることはないでしょうか。そうすると，第一にあげたような働きかけの機会が減ります。すると伸びを見つけることも難しくなります。

　第三に，その児童生徒の問題は，周囲を困らせるだけでなく，本人も困ったり悩んだりしているかもしれません。一緒に問題を解決する姿勢で接しましょう。学習上の問題であれば，授業中や家庭学習の取り組み方，どこまで理解できているのかなどを本人と一緒に検討し，具体的な対処方法を相談したり教えたりすることが可能です。

　最後に，先生がなぜその児童生徒を「難しい」とか「やっかい」と感じるのか，考えてみましょう。もしかしたら，当人の問題ではなく，当人と先生の相性の問題かもしれません。内気な先生は，他の先生以上に，活発な児童を「難しい」と感じるかもしれません。逆に元気な先生は，内気な児童を「やる気がない」と見てしまうかもしれません。ここだけの話ですが…私は自分が指導していて「やっかい」と感じる学生さんに，共通点があることに気づきました。ものの言い方や態度が何となく，大学生時代の私に似ているのです。

第 11 章　テストや評価について…考えた

ツボ

教師の接し方は，児童生徒の伸びを決める大きな要因だ。期待している児童とそうでない児童で接し方を変えていることに，多くの教師は気がついていない。クラスの中の期待している児童生徒と「やっかい」と感じている児童生徒を一人ずつ思い浮かべて，指名の仕方，ヒントの与え方，授業外での接し方など，振り返ってみよう。

近くのツボ

成長を信じて見守ってくれる人の存在は，10－2 でも触れています。また 4－6 で強調したように，褒めたり叱ったりする機会は，児童生徒を伸ばすための機会です。期待している子どもに対するのと同じ接し方を「やっかい」な子どもにも試みることは，12－4 で別の角度から取り上げます。

第12章

ツボについて…考えた

　私は30年間，認知心理学者を続けてきました。だからこそ見えるツボがあります。そういうツボを本書では皆様にお伝えしてきました。
　しかし同時に，認知心理学者に見えていないツボもあるはずです。あるいは認知心理学者の押すツボが，人によっては効かなかったり，副作用を引き起こすこともあるかもしれません。
　本書の最後にツボについて，考えました。

12-1 万能薬はない

「〜〜できるようにするには,どうすればよいでしょうか?」という質問を受けることがあります。本書でも,あるいは本書の兄貴分の『学習の支援と教育評価』でも,「〜〜すると効果的です」と書いたりしています。

しかし現実には,児童生徒の学力や個性によって,適切な支援の方法が少し異なるということがありそうです。心理学の研究では事実,そういうことがわかっています。

適性処遇交互作用－児童生徒と教え方との相性

ある研究では,大学生を対象に一斉指導と個別指導を実施し,あとでテストを行いました。すると知能の高い生徒の場合,一斉指導で教わった方がテストの得点が良いという結果でした。ところが知能の低い生徒の場合は,個別指導の方がテスト得点が高くなったのです。つまり,どういう教え方がよいかは,生徒の特性(この研究では知能)との相性で決まる,ということです(左図)。

こうした研究は他にもたくさんあります。

例えば理科の実験を含む授業を実施する際,実験の様子を教師が実演で示す方法と,映像で見せる方法を比べてみます。すると,外交的で自己主張の強い(この研究では「自己優位性が高い」と表現しています)生徒では実演で示した方

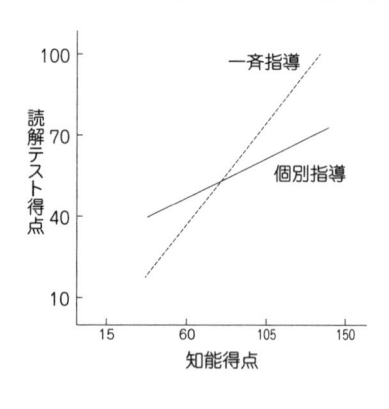

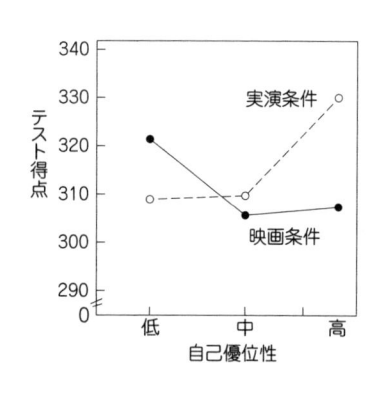

が，テスト得点が良くなりました。ところが内向的で自己主張の弱い生徒の場合は，映像で見せた方が，テスト得点が良くなったのです（右図）。

こうした現象は，授業の効果は学習者の特性（適性）と教え方（処遇）の間の兼ね合いで決まるという意味で，「適性処遇交互作用」と呼ばれます。

■ 誰が見ても良さそうに思える方法でも

一般的に好ましいと思われている教え方についても，こうした適性処遇交互作用が生じます。3つの例をあげましょう。

まず1つめの例。皆さんは物理学のテキストとして，次の2種類のうちいずれが優れていると思いますか。

> 問　A：物理学者のエピソードなどを盛り込んで興味を引くよう工夫されたテキスト。
> 　　B：エピソードなどには触れず，必要な事項のみで構成されたテキスト。

おそらく2冊を並べられたら，Aの方を採用するのではないでしょうか。しかし実は交互作用があるのです。物理学の知識をもともと多く持っている生徒にはB，そうでない生徒にはAの方が効果的なのです。

2つめの例。友だちと一緒に教え合ったり学び合ったりする「協同学習」が，多くの学校で取り入れられています。第8章で紹介したような工夫と配慮をこらすと，かなりの効果が期待できます。しかし，これになじめない生徒がいることも確かです。私自身が大学での授業中に課題を出して，「じゃあ，隣の人と意見交換して，二人で1つの答にしてください。それを今日のレポートとして出してもらいます」と指示したときに，どうしても他者と作業したくないという受講者がいました。「きょうはこれをしてレポートを出さないと，出席したことにならないよ」と言ったのですが，彼はポツリと一言，「…いいです」という反応でした。

協同学習を取り入れたある高校の先生の話ですと，やはり，「友だちとの話し合いでは，勉強した気にならない」と感じる生徒がいるようです。学力が高くないために，友だちと建設的に意見交換することは難しいけれども，板書を書き写したりワークシートを埋めるという作業をこなすことならなんとかできるというケースです。こうした生徒たちにとっては一斉指導の方が，勉強したという気分を保証してくれるようです。

第12章 ツボについて…考えた

　最後に3つめの例。10-4で紹介したプロジェクト・ベース学習になると，もっと相性がハッキリ現れます。PBLの先進校に転校してきたある生徒自身，慣れるのに一年近くかかったと話していました。そしてこう語っています。

　　今の学校に不満を感じているだけなら，この学校に来ない方がいい。今の学校では物足りないと思っている人だったらOKだと思うな。　　　（上杉・市川，2005, p.34）

■ 教師にとって適性処遇交互作用が意味すること

　適性処遇交互作用（学習者の特性によって最適な教え方が異なる。学習者と方法の間に相性がある）という事実は，先生にとって何を意味しているのでしょうか。第一に，すべての児童生徒に最適な効果をもたらす万能薬のような教授方法はない（かもしれない）ということです。第二に，相性の悪い方法を用いることによって，生徒の学習が抑制されることがあるということです。教師はそれなりの根拠をもって，ある教え方を選んでいるわけですが，それでも，特定の教え方を過信することは禁物だ，ということになります。そうするとそれだけ，教え方の引き出しを増やすことが，教師には求められると言えます。

■ 児童生徒にとって適性処遇交互作用が意味すること

　一方，児童生徒にとってはどうでしょうか。「友だちと同じように勉強しているのに，なかなか成績が上がらない」と悩んでいる児童生徒もいるでしょう。適性処遇交互作用を考えると，学習がうまくいかない理由の1つとして，「自分と方法との相性が悪い」という可能性があります。つまり自分の頭が悪いのでもなければ，方法（先生の教え方や自分の勉強方法）が悪いのでもない，相性が悪いのだ，ということです。そうであれば，それまでとは違う方法を工夫するとか，わからない問題を他の先生に教わりに行くという手が使えることになります。

　ただし，普段と違う先生のところにはなかなか質問に行きにくいでしょう。クラスが「学級王国」化している場合はなおさらです。日頃から複数の教師が指導に当たっているとか，地域の人材が学習アドバイザーとして支援しているということは，そういう意味でも児童生徒にメリットのあることです。

12-2 1つの理論だけでは，うまくいかない

　学習というものを心理学では，どう捉えてきたでしょうか。過去1世紀にわたる心理学を振り返ると，大きく3つの立場があります。

▌行動主義

　第一は，行動主義です。この立場では，「どういう場面で，どう行動すれば，望ましい結果が得られるか」という関係を学ぶことが学習であると捉えます。ですから新しい事柄を学習するのには，望ましい結果＝報酬が不可欠です。何かを教えて，うまくできれば報酬を与えるわけです。報酬は，動物の場合はエサですし，人間の場合は褒められる，認められる，というのも報酬になります。先生は目標に達するまでの道のりをスモールステップで設計し，学習の進行を丁寧に見取りながら，適切に報酬を与えることが求められます。本書の第4章は，行動主義心理学の成果をもとにしています。

▌認知主義

　第二は，認知主義です。この立場では，脳の中に知識のネットワークがあると考えます。そして多くの知識が結びついてネットワークが豊かになっていくことが学習であると捉えます。この立場だと，報酬という外側の条件ではなく，学習者自身がどういう知識を持っているか，それと新たな事柄をどう結びつけようとするか，そういった知的な活動が学習に不可欠ということになります。先生には，子どもがどうすればより深く考えるかという視点から授業を構想し，子どもが頭を絞る課題や学習場面を設定することが求められます。私は認知心理学者ですから，本書の大半の内容は認知主義に基づい

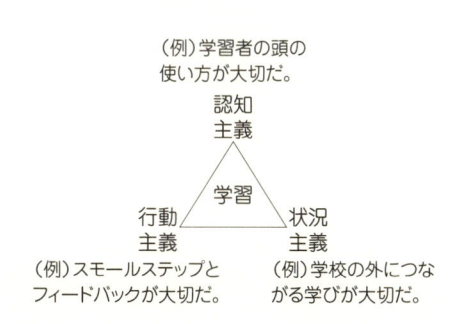

（例）学習者の頭の使い方が大切だ。
認知主義
学習
行動主義　　状況主義
（例）スモールステップとフィードバックが大切だ。　（例）学校の外につながる学びが大切だ。

ています。

状況主義

　第三は，状況主義です。この立場は学習を社会や文化との関係で捉え，社会的・文化的に意味のある実践に参加することを通して，次第に一人前になっていくことが学習であると考えます。学校の中に閉じられた知ではなく，社会とつながった活動に主体的に取り組むことが大切です。先生には，社会とつながった学習が実現するように工夫すること，教師というよりは社会・文化の先輩として手本を示したり，子どもが新たな事柄（それは先生にとっても新たなことかもしれません）を発見するのを支援することが求められます。10-4で紹介したプロジェクト・ベース学習は，状況主義に基づいています。

新しい理論がもっとも優れているわけではない

　これら3つの立場のうち，行動主義は最も古く，1920年代頃からありました。認知主義が1970年代，そして状況主義が1990年代に出現しました。
　こう書くと，新しい理論の方が古くからある理論よりも進んでいて優れていると考えるかもしれません。「最新の理論」，なんと魅力的な言葉でしょう！　けれど心理学では必ずしも，そうとは限りません。例えば「作文」を考えてみましょう。作文指導に，これら3つの理論はどういうヒントを与えてくれるでしょうか。

3つの主義から作文を考える

　段落が変わったら一マス空ける，会話文には「」をつける，文の終わりには句点（。）をつける，というのは，「どういう場面では，どう行動するか」ということの一例です。こうした学習には，行動主義の発想が有効でしょう。また，作文が苦手な児童にいきなり400字の作文を要求しても無理です。書きやすいようにテーマを決めて，少しでも詳しく書けるような表現のヒントを与えたりしながら，徐々に長く複雑な構成の文章が書けるようにしていく，スモールステップの学習が有効です。これも行動主義の発想を生かした支援です。
　認知主義の発想はどう生かせるでしょう。作文を書くための材料は子ども自身の経験であり，またそのときに感じたり考えたりしたことです。1-3で述べたように，こうした思い出や感じたことなどは，頭の中でネットワークになってい

ます。そのネットワークをたどりながら，まずはたくさん思い出してもらいましょう。その際，思い出すための手がかりを先生が用意したり，子ども同士で話し合うことで，発想が広がるでしょう。マップなどのツールも有効です。さらに，作文が書けたら見直すことが大切です。このとき自分の書いた文章を客観的に判断する力（メタ認知）が求められます。メタ認知が十分に働かない段階では，友だちに読んでもらう－メタ認知を代行してもらう－ことも有効です。このことは3－4で紹介したとおりです。

　ところで私も子どもの頃，作文や読書感想文が苦手でした。それは，何のために書くのか，誰が読むのかがわからないことが1つの原因でした。状況主義の立場に立つと，特定の相手に向けて作文を書き，それを通して相手とのコミュニケーションが成立することが大切だということになります。10－4で紹介した作文の例は，まさにこうしたことに結びついていました。リアルな課題について特定の相手に向けて文章を発信するという活動の中で，どうすれば相手に伝わるか，説得力を持たせるにはどういう内容が必要か，といったことに意識が向くようになるでしょう。

■ 学習支援にはどの理論も必要

　このように「作文」という1つの学習の中に，3つの理論で支援できる面が併存しています。新たな理論が生まれたのは，前の理論が十分に気づいていなかった側面に気づき，新たな側面を強調したからです。そして学習には，どの側面も不可欠なのです。先生方には，何か1つの理論や主義を絶対視したり尊重するのではなく，バランス良く穏やかに取り入れるという発想をもっていただければと思います。1つの理論や主義（あるいは一人の理論家）にあまりに寄りかかりすぎると，学習の一面しか捉えないことになってしまいます。

　私はこうしたバランス感覚は，教育行政とのつきあい方にも必要なように感じています。教育行政はしばしば「振り子」にたとえられます。例えば，「知識注入」から「ゆとり教育」へ。そこで学力低下論争が起こると，「基礎基本の重視」へ。振り子が大きく右左に振れているように見えます。本当は「あれも，これも」大切なのに，無理矢理「あれか，これか」に決めているみたいです。大切なことを無理矢理1つに決めて他を軽視するという，独特の発想パタンがあるように思えます。

12-3 清掃主任は学力向上に無縁か

　認知心理学者は,「何を工夫すれば,児童生徒の学習が促されるか」という発想で考えます。このときの「何」は,本書で扱った内容を例にとると,

- ▶教師の発問　　　▶グループの編成
- ▶教材のデザイン　▶さまざまな道具の活用
- ▶テストの形式　　▶学習方略の指導

といったものです。いずれも,いかにも学習に直結しそうなものばかりです。私たちはこのように,結果に結びつきそうなツボをピンポイントで考えがちです。

　ところで漢方医学では,患部から離れたツボが効き目を発揮することがあります。例えば手のひらの「合谷」や,ふくらはぎの外側の「足三里」は胃腸に効くツボです。

清掃主任の仕事って,なんだと思いますか？

　このように,一見離れたツボが効果を発揮するということを,中学校の校長経験が長い方から教わりました。その方（T先生）は私にこう問いかけてこられたのです。

| 問 | 清掃主任の仕事って,なんだと思いますか？ |

　私は「校内の清掃が行き届くように道具の管理をしたり,児童生徒の目が届きにくくて汚れているところについて清掃を呼びかけたり,といったことじゃないですか」と答えました。おそらく現場で清掃主任をしている先生方に尋ねても,似た答が返ってくるだろうと思います。

　T先生はさらにたたみかけるように,問いかけてこられました。

| 問 | 清掃主任の仕事って,学力向上に無縁でしょうか？ |

　正直なところ,私はそんなことこれまで考えていませんでした。けれどそう言われてみると確かに,校内の清掃や整備が行き届いたら,気持ちよく勉強できる

だろうなあと思います。

あれもこれも学力と無縁ではない

　こう考えると，清掃主任だけでなく学校全体のさまざまな事柄が，学力にとって決して無縁ではないと思えてきました。Ｔ先生によると，学力に影響するのは決して「授業」だけではありません。健康，生活習慣，学級経営，教室環境，読書環境，言語環境，学校行事，地域の環境など，実にさまざまな事柄が影響するとのことです。

　確かにＴ先生があげた事柄について，これらが整っていない状態を考えてみると，児童生徒の授業への取組に影響するだろうなあと思えてきました。つまり，

- ▶健　康：体調が悪くて授業に集中できない。
- ▶生活習慣：基本的な生活習慣が確立しておらず，宿題もやったりやらなかったり。寝不足のうえ朝食抜きで登校して１〜２校時はぼーっとしている。
- ▶学級経営：クラスの中にわからないことを教えてくれるような友だちがいない。
- ▶教室環境：教室が散らかっていたり，机や椅子の配置が乱れていて落ち着かない。児童もそれに慣れて，なんとなくだらしない姿勢で授業を受けている。
- ▶読書環境：図書室の本が不足している。本を借りた人が返さず，紛失が多い。
- ▶言語環境：教師自身が筋道たてた話し方をせずに，乱暴な口調で命令ばかりしている。
- ▶学校行事：先生も児童生徒も行事だけに燃えている。
- ▶地域環境：地域の住民が学校行事や児童生徒の様子に関心を示さない。平日の昼間にコンビニあたりでうろうろしている子どもがいても声をかけないし，学校にも伝えない。

　こうしたことが重なると，学力に影響するということも，何となく納得できます。こうした事柄が学力につながる様子を描いてみたのが，この図です。学習に直結しそうな事柄を中心に，それ以外で影響しそうな事柄を周辺に配置しています。他にも学力に繋がるものがあるかもしれないので，空白の○を残しています。

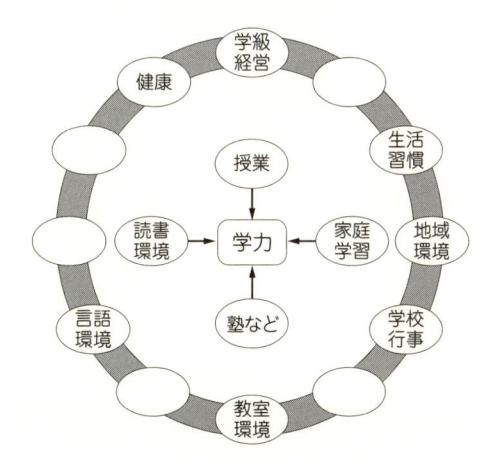

第 12 章　ツボについて…考えた

▮ T先生の視点で本書を見直す

　改めて考え直すと，本書でもこれに近い内容を取り上げていました。2－2では，三世代同居の家庭で，祖父母が孫の代わりに話してしまうことが，子どもの言語力にマイナスにならないかと述べました。8－2では，グループ活動を動かす必要条件として，クラスが安心して交流できる場になっていることを指摘しました。10－2で安全・安定の欲求や生理的欲求が満たされていることの大切さを述べました。10－5では，安定した環境があってこそ，将来のことを考えられると指摘しました。

▮ 教訓帰納の成果を後押しした環境

　5－3で紹介したように，教育心理学者の植阪友理さんは成績不振の女子中学生に，教訓帰納を取り入れた学習支援を行いました（この生徒のことは，4－2や6－3でも触れています）。植阪さんの支援は優れた成果を上げたのですが，彼女の報告を読むと，教訓帰納という学習方法が効果を発揮しただけでなく，

▶友だち同士が教え合うことが多い学級環境だった。
▶テストの間違い直しレポートに教訓帰納を使ったところ，担当教師がその内容を高く評価したコメントを添えて，レポートを返却してくれた。

といったことが効果を後押ししたことがわかります。

　私たち心理学者はどうしても，教育や学力という複雑なものごとの一部を切り取り，取り扱いやすい問題を設定し，研究の俎上に載せます。それが私たちのお家芸であり，得意技であり，ツボなのです。私は 30 年間，認知心理学者として暮らしてきましたから，それを簡単に変えることはできませんし，当面は変えるつもりもありません。けれど学校現場の先生方と一緒に，学力や授業のことを考えるときには，今までより少しは広い視野を持たなくてはいけないな…と考え始めたところです。

12-4 答は自分の中に

臨床心理学者の三木善彦さんにうかがった寓話です。

　昔ある村に，一人の老人が住んでいました。老人はたいそう知恵深く，村人からは「老賢人」と敬われていました。一方，その村の悪ガキ連中は，そんな老人のことをよく思っていませんでした。「なんでぇ，あんな爺さん。知恵がある，知恵があるって，どんだけあるってんだ」。悪ガキの一人がこんな悪戯を思いつきました。「俺が掌の中に小鳥を抱いて，こう尋ねるんだ。『お爺さん，掌の中の小鳥は生きてるかい？　死んでるかい？』爺さんが『生きてる』って答えたら，すぐに握り殺すのさ。『死んでる』って答えたら，その場で掌を開くのさ。そうすればどう答えたって，爺さんの間違いになるだろう？　ギャフンって言わせてやるぞ」

　老賢人の前に行った悪ガキが，企み通りに尋ねました。「お爺さん，掌の中の小鳥は生きてるかい？　死んでるかい？」老賢人は静かに，こう答えました。「答は，おまえの手の中にある」

■ どちらがよいでしょう

　私は現在，教職大学院で認知心理学から学習支援を考える授業をしています。受講生のほとんどは，小中学校の先生方です。皆さんとても熱心に受講してくれます。けれども時々私は，「私の授業なんか熱心に受講しなくとも，どんな授業がよいかは皆さん自身が知っているでしょう」と問いかけたくなります。

　私たちが何かを学ぶときのことを考えてみましょう。趣味で英会話をするのでもいいし，テニスを習うのでもいい，あるいは職場が変わって新たな学校で働き始めるとか，あるいはまったく新しい仕事に転ずるということもあるでしょう。いずれも，新しく学んでいく場面です。そんなときに，次のAとB，2つの教え方のどちらがよいでしょう。

A	B
何も説明してもらえず，「覚えろ」と言われる。	こういう理由でこうなっていると説明してくれる。
マニュアルを与えられて，「そこに書いてあるよ」と指示される。	マニュアルを確認しながら，手本を見せてくれる。

第12章　ツボについて…考えた

一緒に始めた友だちはすぐに合格点がもらえるのに、自分はいつまでも合格点がもらえない。しかも自分と友だちのどこが違うかわからない。	何ができたら合格で、何ができなければ不合格か、自分にもわかる言葉で説明してくれる。
初めて耳にする専門用語で説明される。	初心者にわかる言葉で説明してくれる。
自分が途中までしかできていなくても、どんどん先に進む。	自分ができたのを確認してから、先に進んでくれる。
自分のやったことの良し悪しを教えてくれない。	自分のやったことの良し悪しや、どこが良いのか悪いのかを教えてくれる。
質問するといやがられる。	質問を歓迎してくれる。
上達しても褒めてくれない。	上達したら褒めてくれる。
先生が説明するばかり。	自分たちで実際にやってみることができる。
難しい課題に挑戦させてくれるのはいいが、どうやったらいいかわからない。	ちょっとしたヒントや手本を見せてくれて、それを真似れば少しは何とかなる。
学んだことで自分の成長を実感できる。	学んでも成長した気がしない。

際限がありません。おそらく多くの人は、B（右側）の方がよいと思われることでしょう。そう考えるのはもっともですし、そう判断するために認知心理学を勉強する必要もありません。自分が学習する立場だったら、と想像力を働かせればよいのです。どんなときに不安を感じ、どんなときに学びやすいのか、大人も子どもも、たいして変わらない気がします。

■ 自分の中の答に気づく

11-5で、ピグマリオン効果を紹介しました。教師は自分が期待する児童には積極的に接し、適切なフィードバックを与え、問題が解ければ褒める、解けなくても叱らずに、どう考えればよいか支援する、その結果、児童の成績が伸びたというものでした。トーマス・グッドとジェア・ブロフィという二人の研究者は、教師の行動を観察し、その結果を本人に示しました。そしてこう伝えました。「あなたは児童Aには、このように積極的に接し、褒めたり、ヒントを与えたりしています。一方、児童Bには接する時間が短いですね。B児にもA児と同じように接してみてはどうですか」。その結果、B児に対する教師の行動は大きく変わったのです。

「どう教えれば子どもが伸びるだろう？」――先生方が探しておられる答は、ご自分の中にあるかもしれません。

引用・参考文献

【五十音順】

池上　彰（2009）．わかりやすく〈伝える〉技術　講談社（講談社現代新書）

池谷裕二（2011）．受験脳の作り方−脳科学で考える効率的学習法−　新潮社（新潮文庫）

市川伸一（監修）（2010）．DVD版教えて考えさせる授業−小学校−「解説編」「実践編 国語・算数」「実践編 社会・理科」　図書文化

市川伸一（編）（2012）．新学習指導要領対応 教えて考えさせる授業 中学校　図書文化

市川伸一（2013）．勉強法の科学 −心理学から学習を探る−　岩波書店（岩波科学ライブラリー 211）

市川伸一（監修）・鏑木良夫（編）（2010）．教えて考えさせる理科 小学校　図書文化

市川伸一・鏑木良夫（編）（2009）．新学習指導要領対応 新版 教えて考えさせる授業 小学校　図書文化

市川伸一・南風原朝和・杉澤武俊・瀬尾美紀子・清河幸子・犬塚美輪・村山航・植阪友理・小林寛子・篠ヶ谷圭太（2009）．数学の学力・学習力診断テストCOMPASSの開発　認知科学, **16**, 333-347.

市川　力（2009）．探究する力　知の探求社

糸井尚子（2009）．算数でつまずく子ども−「九歳の壁」を考える　児童心理, **890**, 45-50.

伊藤貴昭・垣花真一郎（2009）．説明はなぜ話者自身の理解を促すか−聞き手の有無が与える影響−　教育心理学研究, **57**, 86-98.

伊藤崇達（2009）．自己調整学習の成立過程　北大路書房

犬塚美輪（2010）．文章の理解と産出　市川伸一（編）現代の認知心理学5 発達と学習　北大路書房　Pp.201-226.

岩瀬直樹・ちょんせいこ（2011）．信頼ベースのクラスをつくる よくわかる学級ファシリテーション②子どもホワイトボード・ミーティング編　解放出版社

岩槻恵子（2003）．グラフの読解と利用における表示慣習知識の役割読書科学, **47**, 1-11.

植阪友理（2010）．学習方略は教科間でいかに転移するか−「教訓帰納」の自発的な利用を促す事例研究から−　教育心理学研究, **58**, 80-94.

上杉賢士（2008）．コミュニケーション・スキルを高めるプロジェクト・ベース学習　BERD, **11**, 23-27. http://berd.benesse.jp/berd/center/open/berd/backnumber/2007_11/fea_uesugi_01.html

上杉賢士（2010）．プロジェクト・ベース学習の実践ガイド−「総合的な学習」を支援する教師のスキル−　明治図書

上杉賢士・市川洋子（2005）．プロジェクト・ベース学習で育つ子どもたち−日米18人の学びの履歴−　学事出版

岡田いずみ（2007）．学習方略の教授と学習意欲−高校生を対象にした英単語学習において−　教育心理学研究, **55**, 287-299.

岡田由美（2014）．中学校国語科における文章を読み深めるための指導−文章を視覚的にとらえる図表化活動を取り入れて−　平成25年度群馬大学教育学研究科専門職学位課程（教職大学院）課題研究報告書

門川之彦（1997）．指導案づくりのどこを変えるか　豊田ひさき（編著）応答し学び合う授業づくり　明治図書　Pp.53-62.

金崎豊彦（2012）．論理的に思考するための言葉を育む中学校国語科学習指導−「読むこと」領域における「比べる」活動を通して−　平成23年度群馬大学教育学研究科専門職学位課程　課題研究報告書

引用・参考文献

関西大学初等部（2012）．関大初等部式思考力育成法　さくら社
関西大学初等部（2013）．思考ツール 関大初等部式思考力育成法〈実践編〉さくら社
菊池省三（2011）．話し合い活動を必ず成功させるファシリテーションのワザ　学事出版
北尾倫彦（2011）．「本物の学力」を伸ばす授業の創造　図書文化
清河幸子・犬塚美輪（2003）．相互説明による読解の個別学習指導－対象レベル - メタレベルの分業による協同の指導場面への適用－　教育心理学研究，51, 218-229.
釘原直樹（2014）．人はなぜ集団になると怠けるのか　中央公論新社（中公新書）
向後智子・向後千春（1995）．日本の小学校・中学校の教科書における説明図を検討する　富山大学教育実践研究指導センター紀要，13, 9-15.
国立教育政策研究所（2008）．平成 20 年度全国学力・学習状況調査解説資料 小学校 算数 http://www.nier.go.jp/08tyousa/08kaisetu.htm
小林菊江（2013）．伝え合う力を育てる中学校国語の学習指導－グループ活動を取り入れた読解を通して－　平成 24 年度群馬大学教育学研究科専門職学位課程 課題研究報告書
齋藤ひとみ・源田雅裕（2007）．ノートテイキングにおける方略使用の効果に関する検討　日本教育工学会論文誌，31（Suppl.），197-200.
坂本美紀（1999）．算数・数学の授業過程の理解　多鹿秀継（編著）認知心理学からみた授業過程の理解　北大路書房　Pp.77-100.
佐々木かをり（2010）．計画力おもしろ練習帳（改訂版）日本能率協会
佐藤浩一・中里拓也（2012）．口頭説明の伝わりやすさの検討：説明者の経験と説明者－被説明者間のやりとりに着目して－　認知心理学研究，10, 1-11.
佐野高行・佐藤浩一（2006）．学校教育現場へのピア・サポート導入の可能性－中学校における生徒・教員の調査とピア・サポート実践から－　群馬大学教育実践研究，23, 291-303.
ジェイコブズ，G., パワー，M. & イン，L. W.（著）伏野久美子他（訳）（2005）．先生のためのアイディアブック－協同学習の基本原則とテクニック　ナカニシヤ出版
授業づくりネットワーク（2012）．協同学習で授業を変える！　学事出版
重松敬一（監修）（2013）．算数の授業で「メタ認知」を育てよう　日本文教出版
重松敬一・勝美芳雄（2008）．算数教育とメタ認知　丸野俊一（編）現代のエスプリ497【内なる目】としてのメタ認知　至文堂　Pp.202-212
児童心理 2013 年 2 月号臨時増刊 No.963 家庭学習を問い直す　金子書房
篠ヶ谷圭太（2008）．予習が授業理解に与える影響とそのプロセスの検討－学習観の個人差に注目して－　教育心理学研究，56, 256-267.
島井哲志（編）（2006）．ポジティブ心理学－ 21 世紀の心理学の可能性－　ナカニシヤ出版
白鳥勲（2013）．支える つなぐ24 大人の「世話焼き」が大事　読売新聞 2013 年 9 月 10 日
杉江修治（2011）．協同学習入門－基本の理解と 51 の工夫－　ナカニシヤ出版
杉江修治・梶田正巳（1989）．子供の教授活動の効果　教育心理学研究，37, 381-385.
鈴木智信（2014）．小学校高学年の国語科における書く力を育てる指導方法について－モニタリング育成による表現内容の構造化・推敲を通して－　平成 25 年度群馬大学教育学研究科専門職学位課程 課題研究報告書
鈴木宏昭（1996）．類似と思考　共立出版
鈴木雅之（2011）．ルーブリックの提示による評価基準・評価目的の教示が学習者に及ぼす影響－テスト観・動機づけ・学習方略に着目して－　教育心理学研究，29, 131-143.
須田　実（編著）（2005）．読む力・考える力を育てるノート指導 小学 1・2 年生　明治図書
須田　実（編著）（2005）．読む力・考える力を育てるノート指導 小学 3・4 年生　明治図書
須田　実（編著）（2005）．読む力・考える力を育てるノート指導 小学 5・6 年生　明治図書
瀬尾美紀子（2005）．数学の問題解決における質問生成と援助要請の促進－つまずき明確化方略の

教授効果- 教育心理学研究, **53**, 441-455.
瀬尾美紀子 (2008). 学習上の援助要請における教師の役割-指導スタイルとサポート的態度に着目した検討- 教育心理学研究, **56**, 243-255.
瀬尾美紀子 (2010). 数学の問題解決とその教育 市川伸一 (編) 現代の認知心理学 5 発達と学習 北大路書房 Pp.227-251.
高場昭次 (1997). 学習集団の授業創造の理論と方法-このままでよいのか,いまの学級の授業- ぎょうせい
高橋かおり (2010). 通常学級における LD の疑いのある児童の読み書きの支援と校内特別支援教育体制づくり 平成 21 年度群馬大学教育学研究科専門職学位課程 課題研究報告書
高旗浩志・杉江修治 (企画) (2011). 協同学習の理念と実践に基づく学校改善・授業改善の取り組み-高等学校の事例に学ぶ- 日本協同教育学会第 8 回大会発表論文集 Pp.90-93.
高濱正伸・持山泰三 (2010). 子どもに教えてあげたいノートの取り方 実務教育出版
武井麻子 (2002). 「グループ」という方法 医学書院
立木 徹 (1982). 単純で基本的な自然科学法則の理解について 日本教育心理学会第 24 回総会発表論文集, 588-589.
田村 学・黒上晴夫 (2013). 考えるってこういうことか！「思考ツール」の授業 小学館 (教育技術 MOOK)
俵原正仁 (2012). スペシャリスト直伝！子どもとつながるノート指導の極意 明治図書
築山 節 (2012). 脳が冴える勉強法 NHK 出版
東京都立稔ヶ丘高等学校 HP
http://www.minorigaoka-h.metro.tokyo.jp/cms/html/top/main/index.html
富田英司・丸野俊一 (2005). 曖昧な構造の協同問題解決における思考進展過程の探索的研究 認知科学, **12**, 89-105.
永井ミカ (2009). 東京都立・稔ヶ丘高校 つまずきを乗り越えて進路実現へ「自律した未来」を育てるチャレンジスクール *Career Guidance*, **28**, 57-61.
中西良文 (2004). 成功／失敗の方略帰属が自己効力感に与える影響 教育心理学研究, **52**, 127-138.
長濱文与・安永 悟・関田一彦・甲原定房 (2009). 協同作業認識尺度の開発 教育心理学研究, **57**, 24-37.
中原章友 (2013). 国語科における読解力の育成-叙述の関連づけを促す図式化を通して- 平成 25 年度群馬大学教育学研究科専門職学位課程 課題研究報告書
並木 博 (1997). 個性と教育環境の交互作用 培風館
西川 純 (2006). 「勉強しなさい」を言わない授業 東洋館出版社
ニューエル, R. J. (著) 上杉賢士・市川洋子 (監訳) (2005). 学びの情熱を呼び覚ますプロジェクト・ベース学習 学事出版
バーナード・ショー (著) 小田島恒志 (訳) (2013). ピグマリオン 光文社 (光文社古典新訳文庫)
浜名外喜男・蘭 千壽・古城和敬 (1988). 教師が変われば子どもも変わる 北大路書房
比留間太白・伊藤大輔 (2007). 協働を通した学習 2 -中高学年用協働思考プログラムの開発と実践- 関西大学人間活動理論研究センター CHAT Technical Reports, **5**, 27-49.
比留間太白・若槻健・上野正道・鍋島弘治朗 (2006). 小学校低学年用 Thinking Together Programme の開発と実践 関西大学人間活動理論研究センター CHAT Technical Reports, **3**, 1-40.
深谷達史 (2011). 科学的概念の学習における自己説明訓練の効果- SBF 理論に基づく介入- 教育心理学研究, **59**, 342-354.
藤井智章 (2014). 伝え合う力を育む中学校国語科の学習指導-メタ認知の視点を取り入れた話し

引用・参考文献

合い活動を通して− 平成24年度群馬大学教育学研究科専門職学位課程 課題研究報告書
伏見陽児（1991）．科学的文章の学習に及ぼす焦点事例の違いの効果 読書科学，**35**, 111-120.
伏見陽児（1999）．心理実験で語る授業づくりのヒント 北大路書房
伏見陽児（2005）．教育学部教師の講義日記 星の環会
米国学術研究推進会議（編著）森敏昭・秋田喜代美（監訳）（2002）．授業を変える−認知心理学のさらなる挑戦− 北大路書房
ベネッセ教育総合研究所（2009）．第2回子ども生活実態基本調査報告書
　　http://berd.benesse.jp/shotouchutou/research/detail1.php?id=3333
ベネッセ教育総合研究所（2009）．放課後の生活時間調査報告書
　　http://berd.benesse.jp/shotouchutou/research/detail1.php?id=3196
ベネッセ教育総合研究所（2013）．VIEW21小学版2013 Vol.3 特集・家庭学習で学ぶ意欲を伸ばす
星　新一（1998）．明治の人物誌 新潮社（新潮文庫）
堀　裕嗣（2012）．教室ファシリテーション10のステップ100のアイテム 学事出版
麻柄啓一・伏見陽児（1982）．図形概念の学習に及ぼす焦点事例の違いの効果 教育心理学研究，**30**, 147-151.
松永洋介（2011）．子どもへの理解を深めることと授業の力量をつけること−そのつながり，つなげ方を考える− 石川英志（編著）教えることをどう学ぶか あいり出版 Pp.63-74.
三崎　隆（2010）．「学び合い」入門−これで，分からない子が誰もいなくなる！− 大学教育出版
耳塚寛明（2009）．お茶の水女子大学委託研究・補完調査について http://www.mext.go.jp/b_menu/shingi/chousa/shotou/045/shiryo/__icsFiles/afieldfile/2009/08/06/1282852_2.pdf
村山　航（2003）．テスト形式が学習方略に与える影響 教育心理学研究，**51**, 1-12.
森田和良（2004）．「わかったつもり」に自ら気づく科学的な説明活動 学事出版
森田和良（2006）．科学的読解力を育てる説明活動のレパートリー 学事出版
文部科学省（2008）．小学校学習指導要領 東京書籍
文部科学省（2008）．中学校学習指導要領 東山書房
文部科学省（2008）．小学校学習指導要領解説 総則編 東洋館出版社
文部科学省（2012）．言語活動の充実に関する指導事例集【小学校版】教育出版
文部科学省（2012）．言語活動の充実に関する指導事例集【中学校版】教育出版
安永　悟（2006）．実践・LTD話し合い学習法 ナカニシヤ出版
山崎茂雄（2009）．コーピング・メソッドタイム−学習スキル教育の試み− 東京都立稔ヶ丘高等学校研究紀要，**1**, 93-104.
読売新聞　2010年8月3日　総合学習は「息抜き」？
読売新聞　2012年3月27日　はがき新聞 作って復習
渡辺健介（2007）．世界一やさしい問題解決の授業 ダイヤモンド社
渡辺健介（2009）．自分の答えのつくりかた ダイヤモンド社

【教科書】

学校図書　みんなと学ぶ小学校国語三年下　平成22年検定済
学校図書　みんなと学ぶ小学校理科3年　平成22年検定済
学校図書　みんなと学ぶ小学校理科5年　平成22年検定済
教育出版　ひろがることば小学国語2下　平成22年検定済
教育出版　小学算数5上　平成22年検定済
教育出版　地球となかよし小学理科6　平成22年検定済
教育出版　伝え合う言葉中学国語2　平成23年検定済
教育出版　中学数学1　平成23年検定済

教育出版　自然の探究 中学校理科 1　平成 23 年検定済
大日本図書　新版中学校数学 1　平成 17 年検定済
大日本図書　たのしい理科 6 年 -1　平成 22 年検定済
大日本図書　理科の世界 2 年　平成 23 年検定済
東京書籍　あたらしいさんすう 1　平成 22 年検定済
東京書籍　新しい算数 2 下　平成 22 年検定済
東京書籍　新しい算数 3 上　平成 22 年検定済
東京書籍　新しい算数 4 上　平成 22 年検定済
東京書籍　新しい算数 5 上　平成 22 年検定済
東京書籍　新編 新しい社会 5 下　平成 16 年検定済
光村図書　国語三上わかば　平成 22 年検定済
光村図書　国語六（上）創造　昭和 60 年検定済
光村図書　国語 2　平成 23 年検定済
光村図書　国語 3　平成 23 年検定済

【アルファベット順】

Bonney, C. D., & Sternberg, R. J.（2011）. Learning to think critically.　In R. E. Mayer & P. A. Alexander（Eds.）, *Handbok of research on learning and instruction*. Routledge.　Pp.166-196.

Conway, M. A., Gardiner, J. M., Perfect, T. J., Anderson, S. J., & Cohen, G. M.（1997）. Changes in memory awareness during learning: The acquisition of knowledge by psychology undergraduates. *Journal of Experimental Psychology: General*, **126**, 393-413.

Dwyer, F. M. Jr.（1967）. Adapting visual illustration for effective learning. *Harverd Educational Review*, **37**, 250-263.

Friedman, F., & Rickards, J. P.（1981）. Effect of level, review, and sequence of inserted questions on text processing. *Journal of Educational Psychology*, **73**, 427-436.

Garner, R., Alexander, P. A., Gillinghan, M. G., Kulikowich, J. M., & Brown, R.（1991）. Interest and learning from text. *American Educational Research Journal*, **28**, 643-659.

Kramarski, B.（2004）. Making sense of graphs: Does metacognitive instruction make a difference on students' mathematical conceptions and alternative conceptions?　*Learning and Instruction*, **14**, 593-619.

Latané, B., Williams, K., & Harkins, S.（1979）. Many hands make light the work: The causes and consequences of social loafing. *Journal of Personality and Social Psychology*, **37**, 822-832.

Mercer, N.（2000）. *Words & minds: How we use language to think together*. Oxon, UK: Routledge.

Nuthall, G., & Alton-Lee, A.（1995）. Assessing classroom learning: How students use their knowledge and experience to answer classroom achievement test questions in science and social studies. *American Educational Research Journal*, **32**, 185-223.

Pressley, McDaniel, M. A., Turnure, J. E., Wood, E., & Ahmad, M.（1987）. Generation and precision of elaboration: Effects on intentional and incidental learning. *Journal of Experimental Psychology: Learning, Memory, and Cognition*, **13**, 291-300.

Rosenthal, R., & Jacobson, L.（1968）. *Pygmalion in the classroom: Teacher expectation and pupils' intellectual development*. Holt, Rinehart and Winston, Inc.

Rubman, C. N., & Waters, H. S.（2000）. A, B Seeing: The role of constructive processes in children's comprehension monitoring. *Journal of Educational Psychology*, **92**, 503-514.

Sato, K., & Matsushima, K.（2006）. Effects of audience awareness on procedural text writing. *Psychological Reports*, **99**, 51-73.

引用・参考文献

Seligman, M. E. P., & Maier, S. F.（1967）． Failure to escape traumatic shock. *Journal of Experimental Psychology,* **74**, 1-9.
Slamecka, N. J., & Graf, P.（1978）． The generation effect: Delineation of a phenomenon. *Journal of Experimental Psychology: Human Learning and Memory,* **4**, 592-604.
Snow, R. E.（1980）． Aptitude processes. In R. E. Snow, P-A Federico & W. E. Montague（Eds.） *Aptitude,learning and instruction:Vol.1 Cognitive process analyses of aptitude*. Lawrence Erlbaum Associates. Pp.27-64.
Snow, R. E., Tiffin, J., & Seibert, W. F.（1965）． Individual differences and instructional film effects. *Journal of Educational Psychology,* **56**, 315-326.
Veenman, M. V. J., Kok, R., & Blote, A. W.（2005）． The relation between intellectual and metacognitive skills in early adolescence. *Instructional Science,* **33**, 193-211.
Zimmerman, B. J., & Kitsantas, A.（2002）． Acquiring writing revision and self-regulatory skill through observation and amulation. *Journal of Educational Psychology,* **94**, 660-668.

【図出典】
●2-5
市川伸一・南風原朝和・杉澤武俊・瀬尾美紀子・清河幸子・犬塚美輪・村山航・植阪友理・小林寛子・篠ヶ谷圭太（2009）．数学の学力・学習力診断テストCOMPASSの開発 認知科学，**16**, 333-347.
国立教育政策研究所（2008）．平成20年度全国学力・学習状況調査解説資料 小学校 算数
　　http://www.nier.go.jp/08tyousa/08kaisetu.htm
●3-1
林　創（2012）．「メタ認知」から考える「教える」ということ 発達130 特集「教える」とは何か ミネルヴァ書房　Pp.18-26 を参考に作成
●3-2
Rubman, C. N., & Waters, H. S.（2000）． A, B Seeing: The role of constructive processes in children's comprehension monitoring. *Journal of Educational Psychology,* **92**, 503-514. を参考に作成
●3-3
佐藤浩一・中里拓也（2012）．口頭説明の伝わりやすさの検討：説明者の経験と説明者－被説明者間のやりとりに着目して　認知心理学研究，**10**, 1-11.
Sato, K., & Matsushima, K.（2006）． Effects of audience awareness on procedural text writing. *Psychological Reports,* **99**, 51-73.
●5-2
教育出版　地球となかよし　小学理科6　平成22年検定済
●5-5
教育出版　小学算数5上　平成22年検定済
●6-6
麻柄啓一・伏見陽児（1982）．図形概念の学習に及ぼす焦点事例の違いの効果 教育心理学研究，**30**, 147-151.
●9-1
教育出版　ひろがることば小学国語2下　平成22年検定済
光村図書　国語三上わかば　平成22年検定済
●9-5
東京書籍　新編 新しい社会5下　平成16年検定済
東京書籍　新しい算数2下　平成22年検定済

東京書籍　新しい算数3上　平成22年検定済
● 10 - 3
チャンス，P. & ハリス，T. G.（編）海保博之・次良丸睦子・村越真・渡辺弥生（訳）（1991）．心の働きを科学する－感情・性格・心理療法 マグロウヒル出版を参考に作成
● 10 - 5
ベネッセ教育総合研究所（2009）．放課後の生活時間調査報告書
　　http://berd.benesse.jp/shotouchutou/research/detail1.php?id=3196
● 11 - 5
Rosenthal, R., & Jacobson, L.（1968）. *Pygmalion in the classroom: Teacher expectation and pupils' intellectual development*. Holt, Rinehart and Winston, Inc.
● 12 - 1
Snow, R. E.（1980）. Aptitude processes. In R. E. Snow, P-A Federico & W. E. Montague（Eds.）*Aptitude, learning and instruction: Vol.1 Cognitive process analyses of aptitude*. Lawrence Erlbaum Associates. Pp.27-64.
Snow, R. E., Tiffin, J., & Seibert, W. F.（1965）. Individual differences and instructional film effects. *Journal of Educational Psychology*, **56**, 315-326.

●○著者紹介○●○●○●

佐藤浩一（さとう・こういち）
　　1962年　香川県に生まれる
　　1990年　大阪大学人間科学研究科博士後期課程単位取得退学
　　現　在　群馬大学大学院教育学研究科教授　博士（学術）

〈主著〉
　　『日常認知の心理学』（共編著）　北大路書房　2002年
　　『自伝的記憶の構造と機能』　風間書房　2008年
　　『自伝的記憶の心理学』（共編著）　北大路書房　2008年
　　『高座心理学－落語にみる，こころの科学－』（共著）　あいり出版　2010年
　　『学習の支援と教育評価－理論と実践の協同－』（編著）　北大路書房　2013年

学習支援のツボ
―認知心理学者が教室で考えたこと―

| 2014年6月20日　初版第1刷発行 | 定価はカバーに表示 |
| 2018年3月20日　初版第3刷発行 | してあります。 |

著　者　佐　藤　浩　一
発行所　　（株）北大路書房
〒603-8303　京都市北区紫野十二坊町12-8
電　話　(075) 431-0361 (代)
ＦＡＸ　(075) 431-9393
振　替　01050-4-2083

©2014　　　　　　　　　　印刷／製本　モリモト印刷(株)
検印省略　落丁・乱丁はお取り替えいたします。
ISBN978-4-7628-2865-2　Printed in Japan

・ JCOPY 〈(社)出版者著作権管理機構　委託出版物〉
本書の無断複写は著作権法上での例外を除き禁じられています。
複写される場合は，そのつど事前に，(社)出版者著作権管理機構
（電話 03-3513-6969,FAX 03-3513-6979,e-mail info@jcopy.or.jp)
の許諾を得てください。